TARGED TEIGR

I DAVID GILL A PHAWB YN SOUTH LAKES WILD ANIMAL PARK SY'N GWEITHIO'N GALED I ARBED TEIGROD - JB & SV

Argraffiad cyntaf 2014

Cyhoeddwyd gyntaf yn Saesneg yn 2009 dan y teitl *Poacher Peril* gan Magi Publications, 1 The Coda Centre, 189 Munster Road, Llundain SW6 6AW.

Rhif rhyngwladol: 978-1-84527-499-3

Mae'r cyhoeddwyr yn cydnabod cefnogaeth ariannol Cyngor Llyfrau Cymru

Cyhoeddwyd gan Wasg Carreg Gwalch,
12 Iard yr Orsaf, Llanrwst, Dyffryn Conwy, Cymru LL26 0EH.
Ffôn: 01492 642031
Ffacs: 01492 641502
e-bost: llyfrau@carreg-gwalch.com
lle ar y we: www.carreg-gwalch.com

Argraffwyd a chyhoeddwyd yng Nghymru

ACHUB ANIFAIL

TARGED TEIGR

J. Burchett a S. Vogler

addasiad Siân Lewis

ACHUB
ANIFAIL

DATABAS Y PROSIECT

PENNOD UN

"Dyma'r anrheg ryfedda ges i erioed!" meddai Ben.

Roedd llygad wydr sgleiniog yn syllu arno o amlen frown.

"Dyma'r anrheg ryfedda gawson *ni* erioed," meddai Sara, ei efaill. "Dwi'n cael fy mhen-blwydd hefyd, cofia. Oddi wrth bwy mae hi?"

"Dim cliw," meddai Ben. Ysgydwodd y llygad o'r amlen. Roedd hi tua'r un maint â marblen fach, ac yn felyn â smotyn du.

Estynnodd Sara am yr amlen a thynnu darn o bapur allan. Arno roedd neges wedi'i

phrintio. "Pen-blwydd Hapus i Sara a Ben, yn un ar ddeg oed heddiw," darllenodd. "Ond does dim llofnod."

"Un o dy jôcs di yw hon, yntefe?" Gwenodd Ben a chwifio'r farblen dan ei thrwyn.

Ysgydwodd Sara'i phen, a fflician ei gwallt brown o'i llygaid. "Dwi'n gwybod dim."

"Celwyddgi."

"Na, wir!" mynnodd Sara. "Dyma'r tro cynta i fi weld y llygad."

"Falle mai anrheg oddi wrth Mam a Dad yw hi," meddai Ben.

"Maen nhw wedi anfon eu hanrhegion yn barod," meddai Sara. "Ta beth, nid stamp Mecsicanaidd sydd ar yr amlen."

Milfeddygon oedd rhieni Ben a Sara. Roedden nhw'n teithio'r byd i ofalu am anifeiliaid prin. Fis yn ôl fe'u gyrrwyd i Fecsico ar brosiect i warchod Llygoden Ddringo Chiapan oedd mewn perygl o ddiflannu'n llwyr. Roedd Ben a Sara'n arfer mynd gyda

nhw. Ond ym mis Medi byddai'r ddau'n dechrau yn yr ysgol uwchradd, ac roedd eu rhieni wedi penderfynu bod rhaid iddyn nhw aros gartre. Roedd Mam a Dad yn ffonio'n aml am sgwrs, ond doedd hi ddim 'run fath â bod yno gyda nhw. Roedd Mam-gu'n gofalu am yr efeilliaid tra oedd eu rhieni i ffwrdd, ac ar y foment roedd hi'n brysur yn y gegin yn rhoi eisin ar eu cacen ben-blwydd.

Cododd Ben y llygad. "Falle mai cliw yw hi," meddai. "Ti'n cofio sut oedd Mam a Dad yn arfer gwneud helfa drysor i ni?"

"Dyw hi ddim yn gliw da iawn," meddai Sara'n ddryslyd. "Lle awn ni nesa?"

"Falle bod neges ar ein gwefan," meddai Ben. "Dyna sut mae pobl yn cysylltu â ni fel arfer." Rhoddodd y llygad wydr yn ei boced, mynd at y cyfrifiadur a logio i mewn. Lledodd llun gorila dros y sgrin, a'r geiriau "anifeiliaid mewn perygl" mewn bwa uwch ei ben. Atseiniodd cri ddofn gorila gwryw cefn-arian drwy'r stafell.

Pan oedden nhw'n teithio gyda'u rhieni, roedd Ben a Sara'n gofalu rhoi'r newyddion diweddaraf am y prosiectau ar eu gwefan ac yn cadw mewn cysylltiad â ffrindiau dros y byd i gyd.

"Mae llwyth o negeseuon," meddai Ben, a sgrolio i lawr.

"Mae un oddi wrth Loches Eliffantod Cenia," meddai Sara. "Agor e. O-o-o! Mae Zahara wedi cael mab bach bore 'ma!"

Gwelsant lun eliffant bach, bach gyda chlustiau enfawr a thwffyn o wallt ar y sgrin.

"Ciwt," ochneidiodd Sara. "Ac mae e'n rhannu'r un pen-blwydd â ni."

Rholiodd Ben ei lygaid – roedd e'r un mor frwd dros warchod anifeiliaid ag oedd Sara, ond weithiau roedd ei chwaer yn mynd yn mega-slwtshlyd.

"Mae 'na neges oddi wrth Brian a'i orang-wtangiaid."

"Dwi ddim yn nabod yr un nesa," meddai Sara. "Mae'n dweud Yr Ynys."

Cliciodd Ben arni. "Byddwch wedi derbyn y llygad erbyn hyn," darllenodd yn araf. "Mae'n bryd ei rhoi'n ôl i'w pherchennog. Wedyn bydd yr antur yn dechrau."

"Antur?" meddai Sara. "Pa antur?"

Tynnodd Ben y llygad o'i boced. "Gwell i ni ufuddhau. Ond pwy sy wedi colli llygad wydr?"

"Mae'n edrych fel llygad cath," meddai Sara'n feddylgar. "Ond does 'na ddim cath unllygeidiog fan hyn!"

"Nid llygad cath yw hi," meddai Ben. "Dyw

cannwyll llygad cath ddim yn grwn. Mae'n hir ac yn fain." Yn sydyn neidiodd ar ei draed a mynd am y drws. "Dwi'n gwybod! Dere!"

Erbyn i Sara'i ddilyn drwy'r drws, roedd ei brawd yn siglo ar gadair ger y cwpwrdd llyfrau yn y cyntedd. Estynnodd i'r silff ucha a chydio mewn teigr tsieina hyll. Mam-gu oedd wedi dod â'r teigr pan ddaeth hi i ofalu amdanyn nhw, ac roedd hi wedi mynnu'i roi mewn lle amlwg, er protest gweddill y teulu.

Roedd y teigr wedi cael sawl cnoc a tholc. Un llygad felen wydr oedd ganddo. Roedd y llall ar goll, a'r soced yn wag.

Edrychodd Ben a Sara ar ei gilydd.

"Ife Mam-gu sy wedi gosod y pos?" meddai Ben.

"Rho'r llygad yn y twll i ni gael gweld," meddai Sara'n frwd.

Gwasgodd Ben y llygad i'r soced. Roedd hi'n ffitio'n berffaith.

Cliciodd a hymiodd y teigr, ac ymddangosodd

llun tri-dimensiwn o ddyn yn yr awyr.

"Hologram!" ebychodd Sara.

"Sut hwyl, blant bedydd?" meddai'r

hologram â gwên fawr. "Wrth gwrs, os nad chi yw Ben a Sara Wynn, nid i chi mae'r neges."

"Wncwl Steffan!" meddai Ben yn syn. "Ond fe ddiflannodd bedair blynedd yn ôl!"

Roedd eu tad bedydd, yr arbenigwr anifeiliaid byd-enwog, Dr Steffan Fisher, wedi diflannu tua'r adeg roedden nhw'n dathlu'u pen-blwydd yn saith oed, a doedd neb wedi clywed ganddo ers hynny. Doedd Ben a Sara ddim wedi'i weld e'n aml, ond roedden nhw wastad yn edrych ymlaen at ei ymweliadau. Ac, wrth gwrs, pan oedd e ar y teledu, roedden nhw bob amser yn ei wylio. Roedden nhw'n hoff iawn o'u tad bedydd a'i syniadau gwirion. Roedd e'n dyfeisio gemau clyfar oedd yn gwneud iddyn nhw grafu'u pennau a chwerthin dros y lle yr un pryd.

"Fel y gwyddoch chi, fe ddiflannes i beth amser yn ôl," meddai'r llun crynedig. "Dyma fy hologram. Dwi ddim wedi marw, cofiwch, dim o bell ffordd. Dwi'n gweithio yn y dirgel ar fy

nghynllun gwych i achub anifeiliaid mewn perygl."

Camodd yr hologram yn nes.

"Dwi am rannu cyfrinach." Edrychodd o'i gwmpas rhag ofn bod rhywun yn gwrando. Heb feddwl, fe wnaeth Ben a Sara 'run fath. "Bedair blynedd yn ôl, fe sefydles i gymdeithas o'r enw Gwyllt – mae'n hollol gyfrinachol."

"Felly pam mae e'n dweud wrthon ni?" sisialodd Ben.

"Dwi'n siŵr eich bod yn pendroni pam dwi'n dweud wrthoch chi," meddai Wncwl Steffan. "Dwi wedi bod yn cadw llygad arnoch chi, ac yn edmygu'ch gofal am anifeiliaid mewn perygl. Mae gyda chi sgiliau a gwybodaeth werthfawr iawn, a dwi am i chi ymuno â fi yma yn Gwyllt. Alla i ddim dweud lle ydw i, ond bydd rhywun yn cysylltu â chi. Wela i chi cyn bo hir!"

Crynodd yr hologram, ac yna cryfhau eto. "Mmm … os nad chi yw Ben a Sara Wynn,

fydd neb yn cysylltu wrth gwrs," meddai'n ymddiheurol, a diflannu.

"Waw!" ebychodd Ben. "Cymdeithas ddirgel – ac mae Wncwl Steffan am i ni ymuno. Gwell i ni bacio."

"Gan bwyll," meddai Sara. "Rwyt ti wastad ar ras. Does gyda ni ddim syniad lle i fynd eto, na phwy fydd yn cysylltu â ni."

"Cacen yn barod!" gwaeddodd Mam-gu o'r gegin.

"Fe gawn ni air yn nes ymlaen," meddai Ben. "Dwi ddim am golli cacen siocled Mam-gu ar unrhyw gyfri!"

Rhedon nhw ar hyd y cyntedd i'r gegin. Roedd Mam-gu'n wên o glust i glust, ac yn dal cacen siocled ag un ar ddeg o ganhwyllau. Winciodd ar y ddau.

"Barod am ddarn o gacen cyn mynd ar eich antur Wyllt?"

PENNOD DAU

Roedd car bach Mam-gu'n clecian yn ei flaen, a Ben a Sara'n sboncio yn y cefn.

"Mam-gu, dwi'n dal i fethu credu," meddai Ben. "Roeddet ti'n rhan o'r gyfrinach drwy'r amser."

"Pan gysylltodd Steffan â fi, o'n i'n gwybod y byddech chi'ch dau'n siwtio Gwyllt i'r dim." Gwenodd Mam-gu.

"A does dim byd arall y galli di ddweud wrthon ni?"

"Dim o gwbl!" meddai Mam-gu. "Busnes Steffan yw hynny."

Yn sydyn trodd Mam-gu drwyn y car a dechrau gyrru ar draws cae! Edrychodd Sara ar Ben. "Yw Mam-gu wedi mynd yn boncyrs?" sibrydodd. Roedd y car yn sboncio'n wyllt dros y tir anwastad.

"Bron â chyrraedd," galwodd Mam-gu dros ei hysgwydd.

Gwelodd y plant hofrennydd yn y cae o'u blaen. Neidiodd menyw ifanc allan. Roedd hi'n gwisgo jîns a siaced drwchus, a'i gwallt wedi'i glymu'n gynffon anniben.

"Erica yw hon," meddai Mam-gu. "Hi fydd yn mynd â chi nawr." Herciodd y car i stop. "Mwynhewch a chym'rwch ofal," meddai, gan daflu cusan bach cyflym wrth iddyn nhw adael y car. "Peidiwch â phoeni am Mam a Dad. Fe wna i ddelio â nhw. Wela i chi cyn bo hir." I ffwrdd â'r car ar ras.

"Mae hyn yn hollol afreal!" mwmiodd Sara, wrth i'r fenyw ddod atyn nhw ac ysgwyd llaw.

"Bore da, Ben a Sara," meddai, gydag acen Almaeneg gref. "Erica Bohn ydw i, dirprwy Dr Fisher. Dwi'n mynd i'ch cludo i'r Ynys." Aeth â nhw i'r hofrennydd ac eistedd yn sedd y peilot. "Caewch eich gwregysau," meddai. Gwisgodd ei chlustffonau ac estyn diogelwyr clustiau i'r ddau. Dechreuodd fflician switshis. Caeodd y drws a hymiodd y rotorau.

"Lle ydyn ni'n mynd?" gwaeddodd Ben uwchlaw'r sŵn.

"Rhaid i'r cwestiynau aros tan i chi weld Dr Fisher," meddai Erica, wrth i'r hofrennydd hedfan tua'r gogledd, dros gaeau a threfi. "Mae e bron marw eisiau dweud y cyfan wrthoch chi, a phetawn i'n dweud gair, fyddai e ddim yn maddau i fi."

Sniffiodd Sara'r awyr. "Beth yw'r arogl od? Oes rhywbeth yn bod ar yr hofrennydd?"

Chwarddodd Erica. "Anghofies i ddweud wrthoch chi. Mae Gwyllt yn defnyddio dom ieir fel tanwydd."

"Pŵ?" meddai Ben.

"Ie," meddai Erica. "Mae'n helpu'r amgylchfyd. A dyw e'n costio dim, achos mae digon ar yr Ynys. Ond mae'n arogli'n od, nes i chi ddod yn gyfarwydd ag e."

Erbyn hyn roedden nhw wedi gadael y tir ac yn hedfan dros fôr garw.

"Glanio ymhen tri deg eiliad," cyhoeddodd Erica.

"Lle?" sibrydodd Sara.

"Edrych! Mae ynys fach draw fan'na," meddai Ben gan sbecian drwy'i ffenest. "Ond does bosib mai honna yw hi. Mae'n rhy fach."

Ond roedd Erica'n anelu'r hofrennydd tuag at ddarn o dir moel yng nghanol gwair gwyllt a llwyni. Neidiodd Ben a Sara allan a syllu o'u cwmpas. Daeth Erica atyn nhw. Tynnodd bell-reolwr o'i siaced a gwasgu botwm. Yn sydyn cododd hen blanciau pren o'r ddaear a ffurfio lloches i'r hofrennydd. Llithrodd to sinc i fyny un wal a disgyn yn swnllyd i'w le.

"Nawr fydd neb yn gwybod bod hofrennydd yma," eglurodd. "Mae'n bwysig bod Gwyllt yn hollol gyfrinachol. Dilynwch fi a gwyliwch eich traed." Camodd yn ofalus dros bentwr o ddom. "Mae 'tanwydd' dros y lle."

Aeth â nhw drwy ryw fath o fferm ieir. Roedd 'na gytiau blêr o gwmpas, ac ieir yn crwydro'n rhydd.

"Mae'n edrych yn llanast," meddai Erica, "ond y pwrpas yw cuddio pencadlys Gwyllt.

Mae'r ieir yn cael pob gofal, wir i chi."

"O, 'drychwch ar y cywion!" parablodd Sara, ac aros i wylio iâr a'i theulu bach yn stelcian heibio. "Maen nhw fel peli bach fflwfflyd!"

"Yyyyy … slwtsh!" meddai Ben, ac esgus taflu i fyny.

Tynnodd Sara'i thafod arno, a gwylio Erica'n agor drws sied anniben. Roedd toiled hen ffasiwn yn y sied. "I mewn â ni!" meddai Erica'n sionc. Edrychodd Ben a Sara ar ei gilydd, a'r un syniad yn gwibio drwy feddwl y ddau. Roedd hyn yn rhyfedd tu hwnt.

Doedd dim lle i droi, yn enwedig ar ôl i Erica gau'r drws a'i folltio. Tynnodd y gadwyn. Yn lle dŵr yn llifo, fe glywson nhw hymian isel. "Daliwch eich boliau," rhybuddiodd Erica. "Lifft tyrbo yw hwn."

"Mega-tyrbo!" llefodd Ben, wrth i'r lifft hyrddio tuag i lawr a glanio ymhell o dan y ddaear. "Gwell nag unrhyw reid ffair."

"Croeso i Gwyllt," meddai Erica, a chamu o'r

lifft. "Dyma'r pencadlys lle byddwn ni'n trafod ein cynlluniau."

Dilynodd y plant hi i goridor hir golau â drysau bob ochr. Chwifiodd Erica'i llaw. "Dyma'r stafellodd gwely, stafelloedd 'molchi, a phopeth sy angen arnon ni i fyw ar ynys fel hon."

Ym mhen pella'r coridor safodd o flaen drws â'r arwydd Stafell Reoli arno, a phwyso'i bysedd ar y pad yn ei ymyl.

"Olion bysedd yn gywir," meddai llais electronig o'r intercom uwchben.

"Mae fel ffilm sbïwyr,"

sibrydodd Sara wrth Ben. “Beth yn y byd sy o’n blaenau?”

Llithrodd y drws ar agor. Arweiniodd Erica’r plant i mewn a chaeodd y drws yn dawel bach.

PENNOD TRI

Syllodd Ben a Sara'n geg-agored ar stafell fawr brysur. Roedd 'na bobl yn eistedd o flaen cyfrifiaduron. Cododd pawb eu pennau, gwenu, ac yna mynd ymlaen â'u gwaith. Gorchuddid y waliau â sgriniau plasma enfawr oedd yn dangos ffilmiau o anifeiliaid yn y gwyllt.

"Maen nhw i gyd mewn perygl," mwmiodd Ben, a rhyfeddu at luniau gorilas mynydd, pandas a chrwbanod môr gwalchbig yn eu cynefin. Llefodd Sara a phwyntio at un o'r sgriniau.

"Y ffured gynffonddu!" meddai'n syn. "Maen

nhw bron â diflannu'n llwyr."

"Ydyn, wir," meddai llais dwfn. "Mae Gwyllt yn gweithio'n galed i'w hachub."

Camodd Wncwl Steffan o'r tu ôl i weithfan, yn wên o glust i glust. Roedd e'n gwisgo hen jîns, siaced ginio a thei bô. Roedd ei wallt coch sbeiclyd yn edrych fel petai heb gael ei frwsio ers dyddiau.

"Ben a Sara!" Ysgydwodd eu dwylo'n egnïol. "Dydych chi ddim wedi newid rhyw lawer ers i fi'ch gweld bedair blynedd yn ôl," meddai. "Mae'ch llygaid glas gloyw'n llawn antur o hyd."

"Dwi mor falch o dy weld di," meddai Sara, a thaflu'i breichiau amdano.

Chwarddodd Wncwl Steffan a chwalu'i gwallt. "Beth yw'ch barn chi am bencadlys Gwyllt?"

"Ffantastig!" meddai Ben, ac edrych ar y stafell brysur. "Pa mor bell o dan ddaear ydyn ni?"

"Rhai cannoedd o fetrau," atebodd Wncwl Steffan. "Ymhell o olwg pobl fusneslyd. Fe synnech chi faint o le sy gyda ni fan hyn. Yn ogystal â'r stafell reoli, mae 'na swyddfeydd, lle i fyw, labordai, stafell chwaraeon, a phwll nofio hyd yn oed."

"Alla i ddim dychmygu mai ti sy'n trefnu hyn i gyd!" Gwenodd Sara'n ddireidus.

"Digon teg, Sara." Chwarddodd Wncwl Steffan. "Ond diolch i Erica, mae popeth yn mynd fel cloc. Hi yw'r dirprwy ac mae'n gofalu bod popeth yn symud yn esmwyth. Dwi'n gwneud dim byd ond tincran fan hyn a fan draw."

"Go brin," meddai Erica. "Ti gychwynnodd yr holl beth, a ti sy'n cynllunio pob un o'n prosiectau ni."

"Wel, falle dy fod ti'n iawn," cyfaddefodd Wncwl Steffan.

"A ti sy'n dyfeisio taclau ac offer Gwyllt," ychwanegodd Erica.

"Rhai sy'n garedig tuag at yr amgylchfyd, wrth gwrs," meddai Wncwl Steffan.

"Fel y tanwydd dom ieir," meddai Sara. "Beth wyt ti'n wneud â'r wyau i gyd? Rhywbeth dyfeisgar iawn?"

"Brecwast." Gwenodd eu tad bedydd yn ddrygionus. "Iym! Wyau wedi berwi, a bysedd o fara."

"Dwi'n methu deall un peth," meddai Ben yn feddylgar. "Pam mae rhaid i Gwyllt fod yn gyfrinachol? Fyddech chi ddim yn cael mwy o help pe bai pawb yn gwybod am y gymdeithas?"

"Bydden," meddai Wncwl Steffan. "Ond fe fyddai gyda ni lawer mwy o elynion hefyd. Os ydyn ni'n gyfrinachol, gallwn ddilyn ein trywydd ein hunain."

"Mae 'na bobl fyddai eisiau'n rhwystro rhag helpu anifeiliaid mewn perygl," eglurodd Erica. "Potsiars, neu gasglwyr, neu bobl sy eisiau defnyddio cynefin yr anifeiliaid i'w pwrpas eu hunain. Dyna pam mae'n rhaid i ni guddio oddi wrth bawb."

"Fel y gwelwch chi, gall gweithio i Gwyllt fod yn beryglus," ychwanegodd Wncwl Steffan. "Ond mae bob amser yn werth chweil. Nawr ydych chi'n barod am eich antur gynta?"

"Antur?" Disgleiriodd llygaid Ben. "Ydyn ni'n mynd i rywle?"

"Wrth gwrs," meddai Wncwl Steffan. "Mae gan Gwyllt brosiect pwysig iawn, a phwy well i'n helpu na 'mhlant bedydd gwych i!" Rhwbiodd ei ddwylo'n awchus. "Bydd un o awyrennau Gwyllt yn barod yn gynnar bore fory. Erica fydd eich peilot unwaith eto." Sylwodd ar wynebau syn y plant. "Rydych chi'n agor eich cegau fel pysgod stwrsiwn Kootenai," chwarddodd.

Cliriodd Erica'i llwnc. "Dwyt ti ddim wedi dweud lle maen nhw'n mynd."

"Naddo?" Cyffyrddodd Wncwl Steffan â'r panel rheoli. Ar y sgrin fwyaf ymddangosodd

map o'r byd. Gwibiodd draw at Gefnfor India a chanolbwyntio ar ynys hir, gul. "Swmatra," meddai.

"Ffab!" meddai Sara. "Fuon ni erioed yn y rhan yna o Asia."

"Eich tasg yw achub teigr," meddai Wncwl Steffan. "Mae Gwyllt yn ei galw hi'n Tora."

"Mae teigrod Swmatra bron â diflannu," meddai Ben yn gyffrous. "Dim ond ychydig gannoedd sy ar ôl yn y gwyllt. Potsiars sy'n eu lladd fel arfer. Mae rhannau o'u cyrff yn cael eu defnyddio i wneud meddyginiaethau traddodiadol, sy'n groes i'r gyfraith."

"Mae pawb yn gwybod hynny," ceryddodd Sara. "Paid â brolio."

"Mae Ben yn iawn," meddai Wncwl Steffan. Chwifiodd ei law at ddyn ifanc oedd yn plygu dros ei allweddell. "Mae James yn un o'r tîm sy'n edrych am arwyddion o botsian ar y we."

Gwenodd James a nodio'n gyflym.

"Mae e wedi darganfod bod nifer o bobl yn potsian ger Aman Tempat, pentref yn y de-orllewin," ychwanegodd Wncwl Steffan. "Mis diwetha, fe laddon nhw deigr gwryw, sef cymar Tora mwy na thebyg. Nawr mae 'na fenyw gyfoethog sy'n casglu anifeiliaid yn fodlon talu arian mawr am Tora a'i dau genau newydd-anedig. Ond mae gynnon ni rywfaint o amser. Yn ôl y wybodaeth gawson ni, mae'r potsiars yn aros i'r cenawon dyfu'n ddigon mawr i ddod allan o'u ffau."

"Pryd fydd hynny?" gofynnodd Ben.

"Cwestiwn da," meddai Wncwl Steffan. "Allwn ni ddim bod yn siŵr, ond yn ôl y wybodaeth gawson ni am Tora, mae'n bosib mai tua chwech wythnos oed yw'r cenawon ..."

"Mi fetia i eu bod nhw'n ddel!" ochneidiodd Sara.

Nodiodd ei thad bedydd. "Del iawn, Sara. Dyw'r cenawon ddim yn dod allan o'u ffau nes eu bod yn ddeufis oed. A dydyn ni ddim eisiau

torri ar draws y patrwm naturiol, os yn bosib. Eich tasg chi yw cadw llygad ar y ffau, a rhoi gwybod i ni cyn gynted ag y gwelwch chi nhw. Wedyn fe allwn ni'u hachub, cyn i'r potsiars eu dal."

"Pan ddaw'r cenawon allan, cysylltwch â ni ac fe wnawn ni roi gwybod i Loches Kinaree sy gerllaw," ychwanegodd Erica. "Yn ddi-enw, wrth gwrs."

"Ac yn y cyfamser, fe wnawn ni ymchwilio i hanes y fenyw," meddai Wncwl Steffan, gan edrych yn ffyrnig am unwaith. "Rhaid ei stopio."

"Ond dwi ddim yn deall,"meddai Ben. "Pam mae'r potsiars yn aros i'r cenawon ddod allan o'r ffau? Pam na wnân nhw'u cipio nhw nawr?"

"Mae'r potsiars wedi cael cais arbennig," meddai Dr Fisher yn ddwys. "Mae'r casglwr preifat eisiau cenawon o faint arbennig. Mae am ladd Tora a'i chenawon – a'u stwffio."

"NAAAA!" gwaeddodd Ben a Sara.

"Felly dyna pam mae'n fater o frys. Ond peidiwch mynd yn agos at y potsiars. Maen nhw'n beryglus! Fe wnân nhw unrhyw beth, os yw'r pris yn ddigon uchel. Nawr, Erica, ydw i wedi anghofio rhywbeth?"

"BYGs, Dr Fisher?"

Edrychodd y plant ar ei gilydd yn syn.

"Wrth gwrs!" meddai Wncwl Steffan. "'Na ddwl ydw i. Rhaid i chi gael Bril-beth Y Gwyllt."

Taflodd ddrôr ar agor a dechrau chwilota drwy hogwyr pensiliau, darnau o hen glustffonau a hanner brechdan. "'Co nhw!" meddai'n gynhyrfus a thynnodd allan ddau beth bach oedd yn edrych fel dau gonsol gemau. "Fy nyfais ddiweddara. Maen nhw'n wych. Yn defnyddio ynni'r haul. Wnân nhw byth eich siomi. Mae bron popeth fydd ei angen arnoch chi ar un peiriant bach – cyfathrebwyr, cyfieithydd, offer tracio. Ac os daw rhywun yn agos, bydd gêm ddiniwed yn

fflician ar y sgrin." Estynnodd nhw i Ben a Sara.

"Cŵl." Gwenodd Ben ac astudio'r BYG yn ei law. Teclyn plastig caled, sgleiniog oedd e, â sgrin fach a nifer o fotymau.

"Rhaid i ni fynd draw i'r storfa hefyd,"

meddai Erica â gwên. "Mae gyda ni fagiau cefn ysgafn wedi'u cynllunio'n arbennig. Fe rown ni bopeth fydd ei angen arnoch chi ynddyn nhw. Dwedodd Mam-gu eich bod wedi cael y brechiadau angenrheidiol ar gyfer teithio."

Nodiodd Ben, ond edrychodd Sara'n feddylgar.

"Ydw i wedi deall yn iawn, Wncwl Steffan?" meddai. "Rwyt ti am i Ben a fi fynd i ben draw'r byd i warchod teigr a'i chenawon rhag potsiars peryglus."

"Yn hollol!" meddai'u tad bedydd. "Chi yw'r ddau berffaith ar gyfer y gwaith. Pwy fydd yn amau dau blentyn sy'n esgus bod ar wyliau? Chi yw fy newis cynta i, achos rydych chi'n ddewr a chlyfar, ac yn gwybod mwy am anifeiliaid nag unrhyw un arall. Ond yn bwysicach na dim, dwi'n eich trystio chi." Crychodd ei dalcen yn sydyn a syllodd yn ddwys arnyn nhw. "Yyyy … falle dylwn i ofyn – ydych chi'n fodlon?"

"YDYN!" gwaeddodd Ben a Sara gyda'i gilydd.

PENNOD PEDWAR

Deffrodd Sara'n sydyn. Am foment allai hi ddim deall lle oedd hi. Wedyn fe gofiodd. Prin ddeuddydd yn ôl roedd hi a Ben wedi penderfynu mynd ar antur fwyaf eu bywyd. A nawr dyma nhw ym mhen draw'r byd – mewn caban bach pren yng ngwres llaith coedwig law Swmatra. Roedd ei bol yn crynu mewn cyffro.

Taflodd ei chynfas i'r naill ochr, codi'i choesau dros yr erchwyn, a mynd yn sownd yn y rhwyd fosgitos oedd yn hongian o gwmpas y gwely. Dihangodd o'r diwedd, a'i gwallt yn

ffluwch, a sbecian ar y gwely nesaf. Roedd Ben yn cysgu'n drwm.

"Deffra!" meddai, a'i ysgwyd drwy'i rwyd.

Mwmiodd Ben a throi drosodd.

Ochneidiodd Sara. Roedd Ben bob amser yn dioddef yn ddrwg o flinder teithio pan oedden nhw'n mynd ar deithiau pell. Roedd hi'n dywyll pan ddaeth Erica â nhw i'r caban y noson cynt, wedi taith hir yn yr awyren a siwrnai herciog mewn jîp. Roedd hi'n anodd gweld yng ngolau'r lamp storm, ond nawr roedd yr haul yn llifo drwy'r llenni. Crwydrodd Sara o gwmpas y stafell yn dawel, a theimlo'r mat garw dan ei thraed noeth. Roedd e'n gaban syml iawn – un stafell sengl â chwpwrdd, stôf un cylch a bowlen garreg yn y gornel.

Roedd Erica wedi gadael poteli o ddŵr a ffrwythau ar fwrdd bach. Pe bai rhywun yn holi, roedd Ben a Sara i fod i ddweud eu bod yn aros yma gydag Anti Erica, oedd yn hoffi crwydro o gwmpas ar ei phen ei hun. Roedd

Erica'n bendant wedi "mynd" i rywle, ond nid i grwydro. Erbyn hyn roedd hi yn Jakarta yn dilyn trywydd y fenyw gyfoethog.

Yfodd Sara ddŵr, tynnodd ei dillad crychlyd o'i bag cefn a'u gwisgo. Cipiodd fanana, a mynd allan â'i BYG yn ei llaw. Safai'r caban mewn llannerch ger pentref Aman Tempat. Roedd coed gwyrddlas yn tyfu o gwmpas, a chân yr adar ac arogl blodau'n llenwi'r awyr. Glaniodd pilipala glas ar foncyff yn ei hymyl. Sylwodd Sara fod yr haul yn union uwchben – roedd hi'n ganol dydd. Roedden nhw wedi cysgu am oriau.

"Be ddwedodd Erica wrthon ni am y BYG?" Sgroliodd drwy'r ddewislen. "Cyfieithydd. Sut mae hwnna'n gweithio?" Roedd botwm bach plastig, meddal ar ochr y BYG. Daeth i ffwrdd yn ei llaw. "Clustffon!" ebychodd, a'i roi yn ei chlust. Roedd e mor gyfforddus, allai hi mo'i deimlo o gwbl.

Yn y caban, agorodd Ben ei lygaid. Clywodd

Sara'n mwmian tu allan. "Cyfathrebydd … traciwr lloerennau …"

Da iawn, meddyliodd, a rholio o'r gwely. *Mae Sara'n archwilio'r BYG*. Roedd Ben yn dwlu ar daclau o bob math, ond roedd e'n rhy ddiamynedd i ddysgu sut i'w defnyddio. Roedd Sara'n gwneud y gwaith manwl, ac roedd hynny'n siwtio Ben i'r dim.

"Bore da!" Gwthiodd ei ben drwy'r llenni.

"Na. Prynhawn da!" Chwarddodd Sara. "Mae'r BYG yn ffantastig. Dwi'n trio cofio popeth ddwedodd Erica. Dim iws gofyn i ti – wnest ti ddim gwrando."

"*Do*. Fe wnes i wrando," meddai Ben. "Wel, dipyn bach, ta beth. Dwi'n ei chofio hi'n dweud wrthon ni am esgus bod ar ein gwyliau, a bod y bobl leol yn gyfarwydd â thwristiaid … a … a …"

"A dyna'r cyfan," meddai Sara. "Roeddet ti naill ai'n ffidlan â'r teledu ar yr awyren, neu'n bwyta."

"Roedd un o'r rhaglenni teledu'n llawn gwybodaeth am Swmatra," protestiodd Ben.

Doedd gan Sara ddim ateb i hynny, felly tynnodd ei thafod arno. "Gwisga," meddai. "Rhaid i ni fynd i'r pentref a darganfod cymaint ag y gallwn ni am Tora. A falle cawn ni signal i'r ffôn fan'ny. Does dim fan hyn. Mae'n rhy bell o'r mast. Ond cofia fod yn ofalus. Does neb i wybod beth yw ein neges."

"Fy neges i yw prynu bwyd," mynnodd Ben.

"Meddwl am dy fol fel arfer!" chwarddodd Sara.

Gwisgodd Ben ar ras, ac i ffwrdd â nhw ar hyd llwybr cul. Cyn hir roedden nhw wedi cyrraedd marchnad fach yng nghanol clwstwr o dai. Roedd gan bob tŷ do crwm serth â phigau cerfiedig bob pen, ac roedd siop mewn sawl stafell ffrynt. Roedd y lle'n brysur tu hwnt a'r pentrefwyr yn galw arnyn nhw i ddod i weld eu nwyddau.

"Roedd Erica'n iawn," sibrydodd Sara wrth Ben. "Maen nhw'n gyfarwydd â thwristiaid."

"Maen nhw'n siarad Bahasa Indonesia, dwi'n meddwl," sibrydodd Ben yn ôl. "Dyna'r iaith leol."

"Na, maen nhw'n siarad Cymraeg," meddai Sara â gwên.

"Nac ydyn!" snwffiodd Ben. "Alla i ddim deall gair."

"Falle y dylet ti olchi dy glustiau!" meddai Sara'n ddiniwed. "Mae'r fenyw â basgedi bambŵ wrth y stondin draw fan'na'n cynnig reis, pysgod a ffrwythau i ni – y gorau yn y

pentref. Pam dwyt ti ddim yn prynu? Fe ddwedest ti dy fod ti'n llwgu."

Edrychodd Ben yn ddryslyd. Chwarddodd Sara dros y lle. Yn ofalus, heb i neb weld, fe gydiodd yn BYG Ben, a chipio'r clustffon cudd. "Sori. Allwn i ddim peidio! Ti'n iawn. Bahasa Indonesia *yw'r* iaith maen nhw'n siarad. A dyma'r cyfieithydd. Dwi'n gwisgo f'un i. Mae'r lleisiau'n swnio braidd yn electronig, ond dwi'n gallu deall popeth. Rho d'un di yn dy glust. Falle dysgwn ni rywbeth pwysig. Ond paid dangos dy fod ti'n clywed."

"Cer â fi at y bwyd!" mynnodd Ben, a rhoi'r ffôn yn ei glust. "Beth yw'r arogl iymi? Mae'n dod o'r siop draw fan'na." Pwyntiodd at gaban mawr â waliau pren a tho tun. Roedd y stafell ffrynt yn llawn dop o nwyddau o bob math – tuniau a beltiau, a hefyd crysau-T, poteli coffi a losin.

Roedd dyn yn ffrio rhywbeth mewn padell dros stôf fach o flaen y siop. Cydiodd Ben ym mraich Sara a'i llusgo tuag ato.

Cododd y siopwr ei ben. "Ffriter banana," meddai yn Saesneg, a gwenu'n llon ar Ben a Sara. "Neu *godok pisang* yn ein hiaith ni."

"Fydd dim angen dy gyfeithydd clyfar di fan

hyn," sibrydodd Ben yn nghlust Sara. Tynnodd allan y waled o rwpïa gafodd e gan Erica. "Pump, os gwelwch chi'n dda."

"Dim ond un i fi," ychwanegodd Sara.

"Awstraliaid y'ch chi?" gofynnodd y siopwr, a chodi'r ffriterau i fowlen fach bambŵ. Roedd ganddo acen gref.

"Na, Cymry," eglurodd Sara. "Wedi dod ar ein gwyliau," ychwanegodd yn gyflym. "Gyda'n modryb."

Nodiodd y dyn. "Rydyn ni'n cael llawer o ymwelwyr o Awstralia," meddai. "Dim cymaint o Brydain. Dwi'n falch i gwrdd â chi. Catur yw'r enw."

"Ben ydw i," meddai Ben â'i geg yn llawn. "Dyma fy chwaer Sara, ac mae'r ffriter yn ffantastig!"

"Mae hwn yn lle braf," meddai Sara wrth y siopwr. "Allwn ni ddim aros i weld y wlad."

"Beth am fynd ar y bys?" awgrymodd Catur. "Fy mrawd-yng-nghyfraith yw'r gyrrwr.

Gallwch fynd mor bell â Gonglung. Mae'n dref fawr."

"A beth am y jyngl?" meddai Ben, a phwyntio at y goedwig drwchus o gwmpas y pentref. "Byddai'n braf gweld y bywyd gwyllt."

"Mae'n rhy beryglus i chi fynd ar eich pennau'ch hunain," meddai Catur. "Dwedwch wrth eich modryb am beidio gadael i chi fynd yn agos. Mae 'na anifeiliaid ffyrnig yn y jyngl, llewpardiaid brith, cathod gwyllt, a hyd yn oed teigr."

Prociodd Sara figwrn Ben â blaen ei throed. "Teigr?" ebychodd. "Awn ni ddim yn agos!"

"Ydy e'n dod i'r pentref?" gofynnodd Ben.

"Os daw e, byddwch chi'n berffaith ddiogel," meddai Catur. "Byddwn ni'n gosod trap."

Neidiodd Sara mewn sioc. "A'i ladd e?" llefodd.

"Na." Gwenodd Catur. "Bydd y teigr yn mynd i Loches Kinaree. Dyna i chi le braf i

dwristiaid. Beth am fynd yno gyda'ch modryb? Dim ond taith diwrnod ydy hi. Nawr oes eisiau rhywbeth arall arnoch chi? Mae gen i neclis, sgarffiau, pob math o swfenîrs del."

Ysgydwodd Sara'i phen. "Fe ddown ni'n ôl yn nes ymlaen. Diolch am y *godok pisang*."

Wrth fynd yn eu blaen drwy'r pentref, fe welson nhw ddyn yn eistedd ar feranda, yn yfed o botel. Roedd e'n gwisgo cap pêl fas anniben a throwsus rhacs. Gwyliodd nhw'n oeraidd, gan siglo'n ôl yn ei gadair.

"Dwi ddim yn hoffi'i olwg e," mwmiodd Sara.

Ar y gair, dringodd tri dyn arall risiau'r feranda. Neidiodd y dyn anniben ar ei draed, edrych o'i gwmpas yn slei, ac agor y drws i'w

ffrindiau. Tynnodd y dynion eu hesgidiau. Trodd Sara'i BYG yn uwch, a gwrando ar gyfieithiad o'u sgwrs.

"Paid â dweud gair, Wicaksono!" meddai un ohonynt wrth anelu am y drws. "Does neb i wybod am hyn – yn enwedig fy ngwraig. Bydd hi o'i cho, os clywith hi beth dwi'n bwriadu'i wneud, er bod cyfle i fi ennill arian."

"I *fi* ennill arian," chwarddodd y dyn anniben. "Fi sy'n mynd i gael helfa wych."

Clepiodd drws pren y caban y tu ôl iddyn nhw.

Cerddodd Ben a Sara'n ddigon pell i ffwrdd. Trodd Sara at ei brawd. "Soniodd e am arian a helfa. Wyt ti'n meddwl mai Wicaksono yw'r potsiar?"

"Digon posib," meddai Ben. "A beth mae e'n mynd i hela?"

"Tora!" gwaeddodd Sara mewn braw.

PENNOD PUMP

"Dyna ni wedi darganfod y potsiar," meddai Sara, ac eistedd yng nghysgod palmwydden yn y farchnad. "Dwi'n gwybod bod Wncwl Steffan wedi dweud wrthon ni am gadw draw, ond dyw hynny ddim yn golygu na allwn ni gadw llygad ar Wicaksono. Mae'n rhaid i ni wybod faint o fygythiad sy i Tora, yn does?"

"Oes 'na offer tracio anifeiliaid ar y BYG?" meddai Ben.

"Wrth gwrs," ochneidiodd Sara, a rholio'i llygaid. "Petaet ti wedi gwrando ar Erica, byddet ti'n gwybod am y dart. Gallwn ni

saethu microsglodyn bach at Tora. Fydd hi'n teimlo fawr ddim. Mwy na thebyg bydd hi'n meddwl mai pryfyn sy wedi'i phigo. Ond dyw hynny ddim o help i ni nawr."

Gwenodd Ben yn ddireidus.

"Aros funud," meddai Sara. "Pa gynllun dwl sy yn dy ben di? Mae dy lygaid wastad yn disgleirio pan fydd gen ti gynllun."

"Beth am saethu'r dart tracio i gorff Wicaksono?" meddai Ben yn wên o glust i glust. "Wedyn fe allwn ni'i ddilyn e, a gweld be sy'n digwydd."

"Mae rhywun yn dod allan," sisialodd Sara.

Llusgodd ei brawd i fwlch rhwng dau dŷ. Roedden nhw'n gallu sbecian ar y dynion yn sgwrsio ar y feranda.

Tynnodd Ben ei BYG o'i boced a theipio'r gair "tracio".

"Rwyt ti'n deall y BYG o'r diwedd!" sibrydodd Sara.

Chafodd hi ddim ateb. Roedd cylch targed wedi ymddangos ar y sgrin.

Cododd Ben y BYG a ffocysu ar fraich noeth Wicaksono. *Clic!* Taniodd Ben y dart. Ar unwaith gwingodd y dyn, cydio yn ei fraich, ac edrych o'i gwmpas mewn tymer.

"Cuddia," sibrydodd Ben. "Os gwelith e ni, falle bydd e'n amau bod rhywbeth o'i le!"

Rhegodd Wicaksono a slapio'i fraich.

"Mae'n meddwl mai mosgito sy wedi'i bigo," meddai Sara'n falch.

Cododd y dyn ei law ar ei ffrindiau a mynd yn ôl i'r tŷ.

Edrychodd Ben ar ei sgrin. Daeth map lloeren o Aman Tempat i'r golwg. Roedd golau gwyrdd dros dŷ Wicaksono.

"Os bydd e'n gadael y pentref, bydd y golau'n fflachio," meddai.

"Beth y'ch chi'n wneud?" meddai llais electronig yn eu clustiau. Cododd y ddau'u pennau'n euog, ac yna esgus nad oedden nhw'n deall gair. Cliciodd Sara'i BYG a daeth gêm ar y sgrin.

Y siopwraig oedd yn galw arnyn nhw. Syllodd yn syn ar y ddau ac ar y BYG. Yna gwenodd.

"Chi fel brawd bach fi," meddai yn ei

Saesneg bratiog. "Chwarae ar y cyfrifiadur drwy'r amser. Lle rhieni chi? Fi'n gwerthu bwyd."

"Rydyn ni yma gyda'n modryb. Mae hi wedi mynd i ffwrdd am y dydd," meddai Sara, "ond fe brynwn ni fwyd."

Amneidiodd y fenyw arnyn nhw i'w dilyn at y stondin.

"Rydyn ni ar ein gwyliau," meddai Sara, tra oedd Ben yn mynd ati i archwilio'r basgedi o ffrwythau lliwgar yn awchus. Tapiodd ei brest. "Fi yw Sara." Pwyntiodd at Ben. "A dyma Ben, fy mrawd. Rydyn ni'n efeilliaid."

"Angkasa ydw i," meddai'r fenyw. Pwyntiodd tuag i fyny. "Ystyr enw yw 'yr awyr'."

"Rydyn ni bron marw eisiau gweld y wlad," meddai Sara. "Ond mae pobl yn dweud bod y jyngl yn beryglus."

Roedd hi'n gobeithio bod y fenyw'n gwybod mwy am hanes Tora nag oedd Catur.

Nodiodd Angkasa. "Lot o storïau am y jyngl.

Mae creadur o'r enw *orang pendek*." Edrychodd Angkasa'n ofnus iawn. "Pobl dweud mai dyn bach yw e – un blewog ac mor gryf â phump eliffant. Mae Dad wedi gweld un, ond dim fi."

"Waw!" meddai Ben, ac anghofio am fwyd am foment.

"Gwelodd Dad e ger Llyn Llonydd," ychwanegodd Angkasa. "Lle i yfed yn y jyngl yw hwnnw." Crynodd. "Ni byth yn mynd yno. Lle drwg iawn."

"Anifeiliaid sy'n yfed yno?" gofynnodd Sara, gan gipedrych ar Ben.

"Ie," meddai Angkasa. "Ond dim pobl. Potsiars hefyd yn cadw draw, dwi'n meddwl."

"Potsiars!" llefodd Sara.

Nodiodd Angkasa. "Dim croeso yma. Roedd teigr yn bwyta'n geifr ni. Dwedon ni wrth Loches Kinaree a gwneud trap. Ni bob amser yn gwneud trap. Lloches yn dod i nôl y teigr, a mynd ag e i le diogel. Ond y potsiars ddaeth gynta. Rhywun yn y pentref wedi'u helpu."

“Rhywun yn y pentref?” ebychodd Sara, ac esgus cael sioc ddychrynllyd.

Gostyngodd Angkasa’i llais. “Dyn drwg.” Gwibiodd ei llygaid ar hyd y rhes o dai. Roedd Sara’n siŵr ei bod hi’n syllu ar dŷ Wicaksono. “Gwerthu esgyrn, croen, wisgers. Yn groes i’r gyfraith.”

Edrychodd o’i chwmpas yn sydyn rhag ofn bod rhywun yn gwrando.

“Mae gwaith gen i,” meddai’n gyflym, a rhoi’r bwyd roedd Ben wedi’i ddewis mewn bagiau.

Talodd Ben a Sara a mynd yn ôl at eu caban. Ddwedon nhw ’run gair nes oedden nhw’n ddigon pell o’r pentref.

“Rwyt ti a fi fel sbïwyr!” chwarddodd Ben, a phwnio braich Sara. “Rydyn ni wedi darganfod y potsiar ac yn gwybod lle i ddechrau chwilio am Tora – yn Llyn Llonydd, lle mae hi’n yfed ac yn hela.”

“Ac fe wnaethon ni’r cyfan mewn un

prynhawn," meddai Sara. "Bydd Wncwl Steffan yn falch iawn ohonon ni."

"Bydd," meddai Ben. Sgroliodd drwy'r ddewislen ar ei BYG nes cael map o'r ardal. "Dyma Llyn Llonydd," mwmiodd. "Dyma'r unig ddŵr yn yr ardal, felly bydd yr anifeiliaid i gyd yn yfed yma. Mae teigrod yn hoffi yfed liw nos. Fe awn ni yno bryd hynny."

"Mae e'n fan cychwyn gwych," cytunodd Sara, "ond dyw e ddim yn swnio'n lle braf. Beth oedd enw'r dyn rhyfedd blewog 'na?"

"*Orang pendek.*" Gwenodd Ben. "Dim ond stori yw hi. Fel Bwystfil Llyn Tegid neu'r yeti. Ta beth, fe edrycha i ar dy ôl di."

"Ti!" wfftiodd Sara. "Byddet ti mor anobeithiol â thrampolîn concrit."

"Paid ti â rhedeg ata i pan fydd y creadur yn cnoi dy goesau!" chwarddodd Ben. Neidiodd o'r ffordd wrth i Sara drio'i bwnio.

"Lle mae'n potsiar ni, ta beth?" gofynnodd.

"Mae e'n dal yn y tŷ," meddai Ben, a

chipedrych ar y BYG. "Does dim rhaid i ni boeni amdano fe nes i'r cenawon fentro o'r ffau."

"Ac mae gyda ni fantais," meddai Sara. "Dyw'r potsiars ddim yn gwybod ein bod ni'n mynd i rwystro'u cynlluniau nhw. Gwyllt ar y blaen!"

MAP LLOEREN BYG

BRYN COCHOA

JYNGL

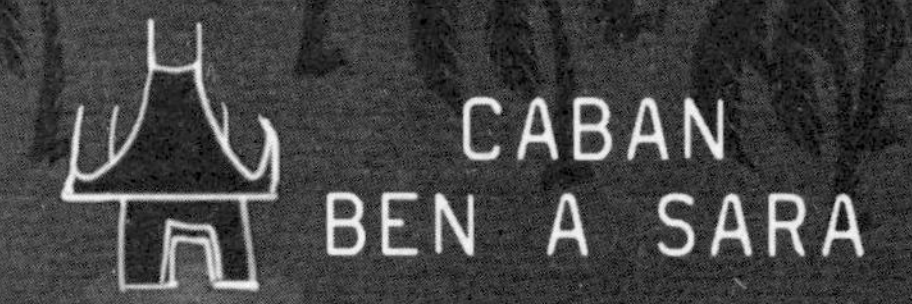

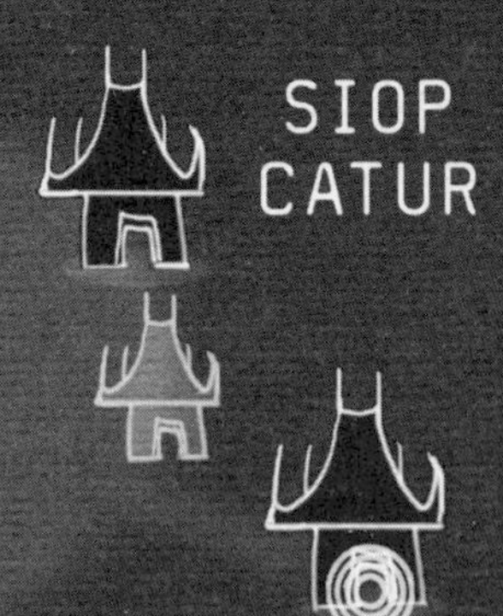

TŶ
WICAKSONO

AMAN TEMPAT

LLYN
LLONYDD

JYNGL

LLWYBR

G

HEB FOD AR RADDFA

PENNOD CHWECH

"Faint o'r gloch yw hi?" gofynnodd Ben, pan oedden nhw'n eistedd ar lawr eu caban yn bwyta pysgod a reis o groen papaia.

"17.30," meddai Sara. "Bydd hi'n nosi ar hyn. Mae'n tywyllu'n gyflym iawn mor agos i'r cyhydedd."

"Amser tracio teigr!" meddai Ben. "Mae'n well gan deigrod y nos na'r dydd, a dyna pryd maen nhw'n hela."

"Diolch yn fawr, Mr Gwyddoniadur-ar-goesau." Chwarddodd Sara.

Taflodd Ben ei groen papaia i'r bin a gwisgo'i

esgidiau cerdded. "Bant â ni!"

"Aros funud!" meddai Sara. "Cofia dy botel ddŵr." Tynnodd fag cefn bach o'i bag cefn mawr, a rhoi dŵr, ffrwythau a phecyn meddygol ynddo. Yna fe astudiodd eu llwybr ar fap lloeren BYG. "Dwedodd Erica bod 'na gogls gweld-yn-y-nos. Bydd angen rheiny arnon ni, achos bydd hi'n ddu fel bol buwch dan y coed." Gwthiodd ei llaw i bocedi'r bag cefn. "Maen nhw yma'n rhywle."

"Beth am aros nes bydd eu hangen arnon ni?" meddai Ben yn ddiamynedd.

"Twmffat!" meddai Sara, a chydio mewn dau bâr o gogls bach ysgafn ar strapiau tenau. "Os arhoswn ni nes bydd hi'n dywyll, bydd raid gwisgo'r gogls i ffeindio'r gogls."

"Waw! Mae'r gogls hyn yn fodern ac yn glyfar dros ben," meddai Ben. "Wyt ti'n cofio'r rhai enfawr oedd gan Mam a Dad pan aethon nhw i chwilio am yr eliffant gafodd ddamwain yn Botswana?"

"Roedd y ddau'n edrych fel eliyns!" chwarddodd Sara.

Tynnodd Ben ei gogls dros ei ben. Agorodd y drws a syllu i'r gwyll. "Mae'r byd wedi troi'n wyrdd," meddai. Trodd y deial uwchben ei drwyn. "O waw! Mae ganddyn nhw lensys teleffoto. Galla i weld popeth yn agos, agos."

Camodd allan o'r caban ac i mewn i'r jyngl oedd yn dechrau tywyllu.

"Fydd hyn ddim yn hawdd," meddai a gwthio'r canghennau o'u ffordd i wneud llwybr

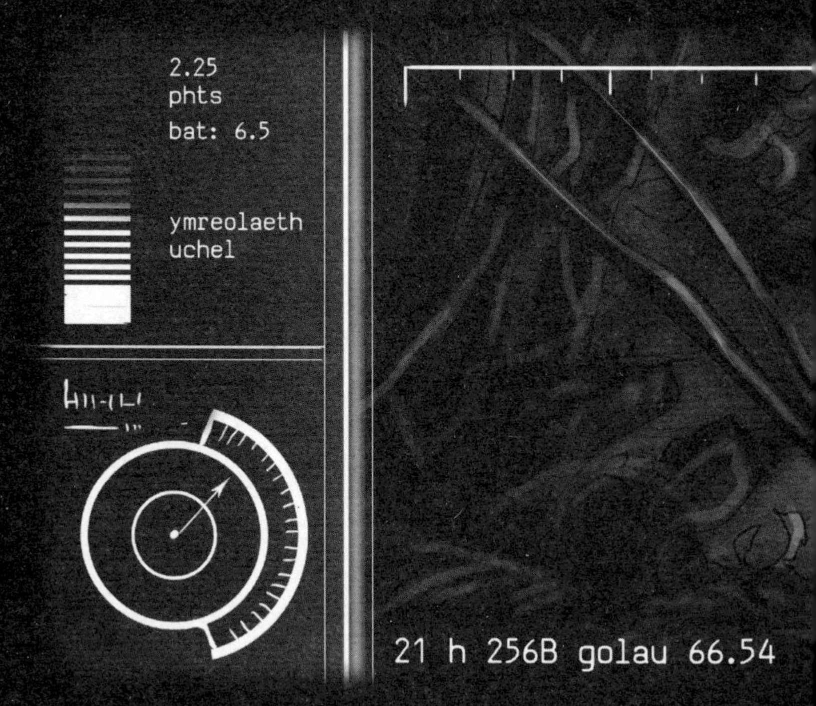

drwy'r coed. Wrth i'w traed grensian ar drwch o redyn a dail crin ar lawr y goedwig, fe glywson nhw anifeiliaid yn galw'n rhybuddiol yn nyfnder y jyngl.

"Mae 'na offer chwalu arogl ar y BYG," hisiodd Sara, a dringo dros foncyff oedd yn gorwedd ar lawr. "Gwasga'r botwm, cyn i'r anifeiliaid ein harogli a meddwl bod cinio ar y ffordd!"

"Syniad da." Gwenodd Ben yn ddireidus. "Os bydd Tora'n arogli rhywun drewllyd fel ti,

bydd hi'n dianc mewn braw!"

"Bydd dy wyneb salw di wedi'i dychryn ymhell cyn hynny!" atebodd Sara'n ôl. "Nawr bydd dawel. Mae gynnon ni waith pwysig."

Ymlaen â nhw, gan symud mor ddistaw â phosib. Ymhen ychydig, fe estynnodd Sara'i braich a thynnu'i bysedd dros risgl coeden.

"Does dim amser i astudio byd natur!" meddai Ben wrthi.

"Ond mae hyn yn bwysig," mynnodd Sara. "Edrych."

Roedd pedwar crafiad dwfn yn rhedeg i lawr y boncyff, a'r pren golau dan y rhisgl i'w weld yn glir.

"Waw," ebychodd Ben. "Crafiadau teigr." Sniffiodd y marciau. "Maen nhw'n edrych yn ffres. Dyna sut mae teigr yn gadael ei nod ac yn rhybuddio teigrod eraill i gadw draw."

"Dwi'n gwybod." Ochneidiodd Sara. "A dwi'n gwybod rhywbeth arall hefyd. Marciau Tora yw'r rhain. Dwedodd Erica mai hi yw'r

unig deigr yn yr ardal." Edrychodd o'i chwmpas. "Wyt ti'n gallu gweld olion ei phawennau?"

"Pygs yw'r gair iawn," cywirodd Ben.

Yn sydyn atseiniodd sgrech anifail ymhell uwch eu pennau. Rhewodd y ddau. Crynodd BYG Sara yn ei llaw.

"Whiw!" sibrydodd. "Mae'r BYG wedi nabod y sŵn. Dim ond mwnci tarsier oedd e."

Cerddon nhw yn eu blaen, gan wylio pob symudiad yn y llwyni, a sefyll yn dawel pan gripiodd creadur bach pigog heibio.

"Porciwpin cynffon-brws," meddai Sara wrth Ben. "Trueni na allwn ni aros i wylio'r bywyd gwyllt."

Fe ddaethon nhw at ryw fath o goridor drwy'r coed, lle roedd anifeiliaid mawr wedi gwneud llwybr drwy'r drysni. Plygodd Ben i archwilio'r ddaear.

"Rydyn ni ar y trywydd iawn," meddai'n gyffrous. "Mae marc pyg gwan iawn fan hyn. Ffordd hyn mae hi'n dod i yfed, siŵr o fod."

Aeth Sara'n nes. Yn y pridd meddal roedd ôl pawen fawr a phedwar o olion llai.

"O'n i'n meddwl y byddai'r olion yn fwy crwn," meddai'n syn.

"Mae olion teigr gwryw'n grwn," meddai Ben. "Ond mae pawennau teigr benyw'n fwy anwastad. Olion Tora yw'r rhain!"

Cliciodd Sara ar y map lloeren. "Mae'n debyg bod y llwybr yn arwain yn syth i Llyn Llonydd. Cŵl! Rydyn ni a Tora'n mynd i'r un man."

Dilynon nhw'r llwybr drwy'r coed am bron awr, gan fynd yn bellach i mewn i'r jyngl. Yn sydyn cydiodd Sara ym mraich Ben.

"Be sy'n bod?" sisialodd Ben.

"Ddim yn siŵr," meddai Sara. "Ond dwi'n teimlo ias yn mynd i lawr fy nghefn. Cofia be ddwedodd Angkasa am Llyn Llonydd. Beth os gwelwn ni'r *orang* creadur 'na?"

Cydiodd Ben yn dynn yn ei llaw a'i llusgo ymlaen. "Welwn ni ddim byd o'r fath," meddai gan drio swnio'n ddewr. "Dim ond stori yw hi."

Ffrwydrodd sgrech uwch eu pennau ac atsain yn iasoer. "Mwnci macaco," meddai Ben yn frysiog, pan deimlodd e Sara'n rhewi a thynnu'n ôl. "Fe glywson ni'r macaco yng Ngwlad Thai, ti'n cofio. Hei, dwi'n gweld dŵr rhwng y coed. Gwell i ni gadw'n dawel. Falle bod Tora yno'n barod."

Daeth llannerch mawr i'r golwg rhwng y coed. O'u blaen roedd Llyn Llonydd, yn llyfn ac esmwyth, ac yn disgleirio yng ngolau'r lleuad. Roedd coed tal yn ymestyn dros y dŵr, a llwyni dyrys oddi amgylch. Roedd coeden wedi disgyn i'r pwll, a chreigiau mawr yma ac acw ar y lan. Doedd dim sôn am y teigr.

"Od iawn," sibrydodd Sara, gan gipedrych yn nerfus ar y canghennau oedd yn plygu fel

bysedd enfawr dros y dŵr. "Mae'n llonydd go iawn. Dwi'n siŵr bod anifeiliaid yma'n rhywle, ond mae popeth fel petai … wedi rhewi."

Yn sydyn fe glywson nhw rywbeth yn symud drwy'r coed yr ochr draw i'r pwll. Llusgodd Sara Ben y tu ôl i lwyn mawr rhedynog yn ymyl y llwybr. "Beth yw e?" sibrydodd.

Bustachodd siâp mawr du i'r llannerch, a'r brigau'n crensian dan ei draed. Disgleiriodd golau'r lleuad ar gefn gwydn.

"Os mai *orang pendek* yw hwnna, dwi'n chwilen y dom," sisialodd Ben.

"Rhino Swmatra," ebychodd Sara, gan anghofio'i holl ofnau. "Maen nhw mor brin. Maen nhw bron â diflannu o'r gwyllt. Edrych ar ei wyneb bach ciwt."

"Maen nhw'n edrych yn giwt, ond maen nhw'n gallu bod yn beryglus," rhybuddiodd Ben. "Petai hwnna'n rhuthro atat ti, byddai fel sefyll o flaen car."

Gwylion nhw'r rhinoseros trwm, araf yn

plygu'i ben at y dŵr. Crynodd ei glustiau hir blewog wrth yfed.

"I feddwl bod pobl yn eu lladd i gael eu cyrn," sibrydodd Sara. "Rhaid i ni ddweud wrth Wncwl Steffan bod rhinoseros fan hyn."

O dipyn i beth daeth Llyn Llonydd yn fyw. Daeth teuluoedd o geirw, tapiriaid a moch gwyllt i yfed a nofio. Edrychodd Sara ar ei watsh. Er eu syndod, roedd dwy awr wedi mynd heibio ers iddyn nhw gyrraedd y pwll dŵr.

"Mae 'nhraed i'n cyffio," cwynodd Ben. "Dwi erioed wedi aros yn llonydd mor hir."

"Falle nad yw Tora'n dod yma wedi'r cyfan," meddai Sara, a thrio peidio dylyfu gên.

"Allwn ni ddim rhoi i fyny eto," meddai Ben. "Fe gysgwn ni un ar y tro. Ti gynta."

"Alla i byth gysgu fan hyn," protestiodd Sara, a phwyso'n erbyn boncyff coeden.

Y peth nesaf deimlodd Sara oedd Ben yn ei hysgwyd a'i deffro.

"Paid dweud gair," sibrydodd ei brawd. "Mae rhywbeth yn digwydd."

Roedd yr anifeiliaid i gyd wedi rhewi'n wyliadwrus. Daeth siffrwd ysgafn o'r llwybr.

Wwwsh! Mewn chwinciad roedd yr anifeiliaid wedi dianc, wrth i siâp llyfn a thywyll stelcian i'r llannerch. Troediodd yn hamddenol drwy'r tywyllwch, y pen yn uchel a balch a'r cyhyrau'n tonni. Disgleiriai'r blew sidanaidd, â'i streipiau cul llachar, yng ngolau egwan y lleuad.

"Tora," sibrydodd Ben.

"Mae hi mor bert," ochneidiodd Sara.

Troediodd Tora'n dawel tuag at y dŵr, â blaen du ei chynffon hir yn cyrlio y tu ôl iddi.

Yn sydyn, stopiodd a sniffian yr awyr. Gan ruo'n dawel anelodd yn syth am eu cuddfan.

Clywson nhw sŵn dŵr yn chwistrellu, a lledodd arogl siarp drwy'r awyr. Yna tasgodd diferion o wrin cynnes, drewllyd, drwy'r llwyn arnyn nhw. Roedd Tora'n gadael ei harogl!

O'r diwedd fe stopiodd a symud at y llyn.

"Iych!" meddai Ben dan ei anadl.

"O leia mae'r teclyn chwalu arogl yn gweithio!" sibrydodd Sara, a thrio'i sychu'i hun yn ddistaw bach â deilen. "Doedd hi ddim yn gwybod ein bod ni yma."

"Trueni nad yw'r teclyn yn gweithio ddwy ffordd," sibrydodd Ben yn ôl. "Mae'r pi-pi 'ma'n drewi."

Edrychodd y ddau'n ofalus drwy'r dail ar Tora, a oedd wedi symud i ffwrdd ar hyd y lan.

Plymiodd i'r dŵr a nofio'n gryf, a'i phen yn uchel. Yna allan â hi. Ysgydwodd ei hun a dechrau yfed yn awchus wrth ymyl y pwll.

"Bydd hi'n mynd i hela nawr mae'n debyg," meddai Ben. "Mae'n rhaid i genawon chwech wythnos oed gael cymysgedd o gig a llaeth eu mam."

"Os dilynwn ni hi, fe gawn ni weld lle mae'i ffau," cytunodd Sara. "Wedyn mi fedrwn gadw llygad ar y cenawon."

Cododd Ben ei BYG. "Dwi'n mynd i saethu dart."

Targedodd Tora a saethu tuag at ei hochr chwith. *Pfft!* Tonnodd croen y teigr, a ffliciodd ei chynffon fel petai'n cael gwared o bryfyn. Ar unwaith, ymddangosodd map lloeren o Llyn Llonydd ar y sgrin, a dechreuodd golau oren fflachio a dangos lleoliad y teigr.

"Beth yw hwnna?" Symudodd Sara'r dail eto. "Mae rhywbeth yn symud wrth draed Tora." Gwasgodd y botwm 'sŵm' ar ei gogls. "Alla i

ddim gweld." Newidiodd y ffocws. Nawr roedd hi'n gweld yn glir.

Roedd dau genau bach yn chwarae wrth draed Tora, yn pawennu'i gilydd ac yn rholio ger y dŵr. Chwibanodd Ben yn isel. "Roedd dyddiadau Wncwl Steffan yn anghywir. Mae cenawon Tora'n hŷn nag oedden ni'n feddwl ac maen nhw wedi gadael y ffau."

"Felly maen nhw mewn perygl enbyd," meddai Sara. "A rhaid i ni eu hachub."

PENNOD SAITH

"Edrych i weld lle mae'r potsiar," sibrydodd Ben ar frys. "Os yw e'n gwybod am hyn, rhaid ei stopio."

"Dyw e ddim wedi symud o'r pentref," atebodd Sara, a syllu ar y golau gwyrdd. Pwysodd y botwm cyfathrebu ar ei BYG.

"Rhaid dweud wrth Erica ar unwaith," mwmiodd, a gwasgu 2 – sef y rhif brys fyddai'n cysylltu ag Erica'n syth. "Dim signal!" Ochneidiodd yn siomedig. "Does dim llawer o fastiau ffôn yn y jyngl, debyg iawn."

"Does dim signal yn ein caban ni, ac allwn

ni ddim gyrru neges o'r pentref rhag ofn i rywun glywed," sibrydodd Ben. "Wyddon ni ddim pwy sy'n helpu'r potsiar. Rhaid i ni ddringo'n uwch."

"Wel, dwi ddim yn mynd i ddringo coed yng nghanol y nos!" mynnodd Sara.

"Paid â phoeni," sisialodd Ben. "Fe chwiliwn ni am dir uwch."

"Ocê," cytunodd Sara. "Ond os symudwn ni nawr, bydd Tora'n clywed. Rhaid i ni aros iddi fynd o'ma."

"Ti'n falch, yn dwyt?" Gwenodd Ben. "Galli di wylio'r cenawon bach fflyffi-wyffi tra bydda i'n cysgu."

Ffocysodd Sara'i gogls ar y cenawon yn syth. "O maen nhw *mor* annwyl," suodd. "Edrych arnyn nhw'n sugno llaeth eu mam! Nawr mae un yn cnoi clust y llall. A gwranda arnyn nhw'n mewian, Ben. Dwi am roi cwtsh iddyn nhw."

Ochneidiodd Ben. Doedd dim pwynt trio cysgu. Fe wylion nhw Tora yn procio'r

cenawon tuag at y dŵr. Yfodd y ddau gan snwffian a phoeri. Roedd Tora fel milwr yn eu gwarchod. Roedd ei phen yn uchel ac roedd hi'n chwyrnu'n dawel bach.

"Mae hi'n fam dda," meddai Sara. "Byddai'n fodlon rhoi'i bywyd dros y cenawon."

"Paid â symud," meddai Ben. "Mae hi ar ei ffordd."

Roedd Tora'n troedio'n dawel ar hyd y llwybr – ac yn anelu am Ben a Sara. Daliodd y ddau eu gwynt gan obeithio bod y teclyn chwalu arogl yn dal i weithio. Beth os oedd eisiau bwyd ar Tora? Roedd Sara'n llawn cyffro a dychryn wrth weld y teigr hardd yn dod tuag ati, a'i chenawon yn dilyn wrth ei sodlau. Weithiau roedden nhw'n ceisio edrych mor urddasol â'u mam, ac weithiau'n sniffian y llawr neu'n chwarae ymosod. Ochneidiodd Sara'n siomedig wedi iddyn nhw fynd heibio.

"Ffwrdd â ni," meddai Ben, ac ymestyn ei goesau stiff. "Does dim amser i'w golli."

"Aros. Dwi am edrych i weld lle mae'r tir uchel agosa," meddai Sara ac edrych ar ei sgrin. "Fydda i ddim chwinciad, yn wahanol i ti. A, dyma ni, Bryn Cochoa."

Roedd hi'n daith hir drwy'r goedwig dywyll i Fryn Cochoa. Erbyn iddyn nhw gyrraedd y llethr, roedd pelydrau cynta'r wawr yn disgleirio drwy'r coed.

"Gobeithio gawn ni signal lan fan hyn," llefodd Sara, a brwydro drwy'r blodau enfawr a'r drysni o redyn ar y llethr serth. "Gorau po gynted y bydd Gwyllt yn cysylltu â'r Lloches." Stopiodd i edrych ar ei BYG. "Dim byd eto."

O'r diwedd fe gyrhaeddon nhw ben y bryn. Sychodd Ben y chwys oddi ar ei dalcen ac yfed y diferyn olaf o'i ddŵr.

"Mae gen i signal!" gwaeddodd Sara, a dychryn haid o adar melyn llachar. Fe ddihangon nhw gan sgrechian. "Na, mae wedi mynd eto, a does 'na ddim tir uwch."

"Felly mae *rhaid* dringo coeden," meddai Ben

yn ddifrifol. Weindiodd strap ei BYG am ei fraich a dringo'r goeden agosaf, gan afael yn y rhaffau o blanhigion oedd yn hongian arni ac anwybyddu'r morgrug oedd yn rhedeg dros ei freichiau. "Gobeithio na fydd rhaid i fi ddringo mor bell â chanopi'r jyngl," galwodd ar Sara.

"Cymer ofal," rhybuddiodd Sara. "Dwi ddim am i ti ddisgyn ar fy mhen."

Wrth i Ben ddringo, tywyllodd y goedwig yn sydyn a disgynnodd dafnau mawr o law drwy'r coed. Cyn hir roedd clecian y glaw ar y canopi yn boddi pob sŵn.

Teimlodd Ben y goeden yn ysgwyd dan ei bwysau. Cydiodd yn dynn ag un llaw a chwilota am y BYG â'i law arall.

Roedd hi'n anodd dal gafael, am fod dŵr glaw'n llifo i lawr y boncyff. *Gobeithio y bydd hwn yn gweithio yn y glaw*, meddyliodd, a'i fysedd yn llithro dros y botymau. O'r diwedd fe agorodd y cyfathrebydd, teipiodd rif brys Erica a dal y BYG wrth ei glust. Canodd a chanodd

y ffôn. Gwasgodd rif 1 a mynd ati i ffonio pencadlys Gwyllt. "Helô?" gwaeddodd, a chlywed llais gwan. Roedd y signal yn mynd a dod. "Wncwl Steffan?"

Dim ateb. Â'r teclyn wrth ei glust, triodd ddringo'n uwch, gan wthio'i draed yn erbyn y brigau main.

"Mae cenawon Tora wedi dod allan o'r ffau," gwaeddodd. "A dwi'n meddwl bod y potsiars yn y pentref. Alli di gysylltu â'r Lloches ar ein rhan?"

"Helô, Ben!" Clywodd lais serchog ei dad bedydd yn y pellter. "Signal gwael. Be ddwedest ti?"

Gydag ymdrech dringodd Ben mor uchel ag y gallai. "Rhaid i'r Lloches ddod ar unwaith!" meddai. "Mae'r cenawon—"

CRAC! Torrodd y gangen dan ei droed a chwympodd Ben.

Crafangodd yn wyllt am y boncyff wrth ddisgyn. Trawyd ei wyneb gan frigau gwlyb a

chrafodd y rhisgl groen ei law. Roedd hi'n amhosib dal gafael.

Yna, teimlodd blwc. Roedd strapen y BYG am ei arddwrn wedi bachu cangen, ac roedd e'n siglo tua deg metr uwchben y ddaear. Teimlai fel petai'i fraich yn cael ei thynnu o'i soced. Ond o leiaf doedd e ddim yn cwympo.

Crynodd y BYG yn sydyn. "Ben?" Wncwl Steffan oedd yn siarad. Roedd hi'n anodd clywed uwchlaw sŵn byddarol y glaw. "Wyt ti yna? Sut mae pethau'n mynd?"

Grêt, meddyliodd Ben. *Dwi'n hongian o goeden yng nghanol storm drofannol a nawr dwi'n cael derbyniad gwych!*

"Neges frys!" gwaeddodd i gyfeiriad y BYG. "Mae cenawon Tora wedi dod allan o'r ffau." Gwingodd, cicio'i goesau, a stryffaglu i gael rhywbeth i afael ynddo.

"Allan yn barod?" clywodd Wncwl Steffan yn gweiddi'n syn. "Disgrifia nhw. Oes ganddyn nhw ...?"

Gwichiodd y BYG a diffodd.

Llwyddodd Ben i gydio mewn planhigyn hir a llusgo'i hun ar gangen. Tynnodd y BYG yn rhydd a mynd i lawr y goeden mor gyflym ag y gallai er bod ei ddwylo'n gwaedu. Roedd Sara'n cysgodi dan ddeilen fawr. Aeth Ben ati, gan ddal ei ddwylo'n ofalus.

"Wyt ti'n iawn?" gwaeddodd Sara uwchlaw drymio'r glaw. "Fe glywes i ryw sŵn, ac fe waeddes i arnat ti, ond wnest ti ddim clywed."

"Fe lithres i dipyn bach." Gwenodd Ben, a dangos ei ddwylo.

"Poenus!" Crychodd trwyn Sara. "Wnest ti siarad ag Wncwl Steffan?"

“Dim ond gair neu ddau,” gwaeddodd Ben yn ôl. “Gobeithio’i fod e wedi deall y neges ac wedi rhybuddio’r Lloches i gasglu Tora cyn i’r potsiars ddod.”

Tynnodd Sara’i phac oddi ar ei hysgwydd a chwilota am y pecyn meddygol. Sgeintiodd ddŵr dros y briwiau a rhoi plaster arnyn nhw.

“Gwell i ni fynd yn ôl i’r pentref,” meddai Ben. “Er mwyn gwneud yn hollol siŵr … *aw!* … nad yw’r potsiars … *iaw, Sara, mae hwnna’n llosgi* … ar drywydd Tora.”

Roedd hi’n hwyr y bore pan gyrhaeddodd Ben a Sara’r pentref. Roedd y glaw wedi peidio a phobman yn stemio yn yr haul.

“O leia mae’r glaw wedi golchi pi-pi’r teigr oddi arnon ni,” meddai Sara. “Nawr ’te, gwaith amdani.”

“Allwn ni ddim cael bwyd gynta?” cwynodd Ben. “Os clywan nhw fy mol i’n rymblan, byddan nhw'n meddwl bod teigr o gwmpas."

"Aros i fi gael edrych am y potsiars," mynnodd Sara. Tynnodd ei BYG allan a gwasgu botymau. Fflachiodd golau gwyrdd. "Mae Wicaksono'n dal yn y tŷ. Os awn ni'n nes, falle clywn ni rywbeth."

Anelodd y ddau am y tŷ. Doedd dim sôn am neb, ond roedd rhes o esgidiau dynion ger y drws. Roedd rhywun yn siarad y tu mewn.

"Rhanna eto. Dwi'n teimlo'n lwcus. Pawb â'i arian yn barod?"

"Mae'n swnio fel gêm o gardiau," meddai Sara.

"Maen nhw'n mentro," meddai Ben. "Yn ôl y rhaglen weles i, mae gamblo'n groes i'r gyfraith yn Swmatra."

Roedd menyw'n cerdded yn frysiog at y tŷ. Eisteddodd Sara a Ben i lawr yn sydyn gan esgus chwarae gemau ar eu BYGs. Fe glicion nhw ar eu cyfieithwyr a gwthio'u clustffonau i'w lle. Martsiodd y fenyw yn syth i fyny'r

grisiau heb sylwi arnyn nhw.

"Sapto!" gwaeddodd mewn tymer. "Dwi'n gwybod dy fod ti yna!" Curodd yn chwyrn ar y drws pren. "Dwi'n aros fan hyn nes i ti ddod allan."

Daeth sŵn cripian traed o'r tu mewn. Curodd y fenyw unwaith eto. O'r diwedd agorodd y drws. Safai Wicaksono o'i blaen.

"A … Helô, Ratu …" meddai. "Dyw dy ŵr ddim yma. Dwi ddim wedi'i weld ..."

"Cer o'r ffordd!" Gwthiodd y fenyw heibio'n syth, a mynd i mewn i'r tŷ. Clywodd Ben a Sara sŵn gweiddi a phethau'n cwympo. Yna fe ddaeth y fenyw allan eto, yn llusgo dyn gerfydd ei glust!

"Am ŵr da-i-ddim!" gwaeddodd. Tynnodd e i lawr y grisiau a chasglu'i esgidiau ar y ffordd. "Fe wnest ti addo peidio gamblo, ond be weles i …"

"Mae'n ddrwg gen i, Ratu cariad," llefodd y dyn wrth i'r ddau fynd o'r golwg. "O'n i bron

ag ennill. Roedd gen i'r cardiau gorau erioed. Gallet ti fod wedi cael popeth oeddet ti eisiau … *aw!*"

Daeth dau ddyn arall i ddrws y caban. Fe wisgon nhw'u hesgidiau a dianc mewn cywilydd.

Edrychodd Ben ar Sara. "Os ydyn nhw'n botsiars peryglus, dwi'n grugarth!" meddai. "Gamblo'n slei bach oedden nhw. A hela arian, nid Tora. Rhaid i ni ddechrau o'r dechrau."

PENNOD WYTH

"Beth wnawn ni nawr?" gofynnodd Sara.

"Roedd Angkasa'n gwybod am y potsiars," atebodd Ben. "Falle gallen ni ofyn ychydig mwy o gwestiynau iddi, ond heb ei dychryn."

Fe gerddon nhw yn eu blaenau drwy'r pentref, ond doedd dim sôn am y stondin ffrwythau heddiw.

"Beth yn y byd sy wedi digwydd i ti?" meddai llais. Catur oedd yno. Daeth allan o'i siop a chydio yn nwylo Ben. Edrychai'n ofidus.

"C … cwympo wnes i," meddai Ben.

"Galla i werthu rhywbeth i ti fydd yn

gwella'r briwiau." Amneidiodd Catur i gyfeiriad ei siop. "Dere i mewn."

Dilynodd Ben a Sara'r siopwr. Ar ford hir roedd arddangosfa o dlysau a gleiniau ac anifeiliaid cerfiedig. Yn eu hymyl roedd rhes o boteli'n llawn powdwr lliwgar a thabledi. Crogai modrwyau del ar y wal bella, ger y llen oedd yn cuddio'r mynediad i'r stafell gefn. Aeth Sara draw i edrych. Byddai Mam-gu'n hoffi modrwy.

Cododd Catur bot o eli coch llachar. "Dyma eli o'r goeden finlliw. Mae'n helpu i lanhau clwyfau." Agorodd y clawr a gadael i Ben ei arogli.

Wrth i Sara astudio'r modrwyau, fe gafodd syniad. Falle bod Catur yn nabod y dyn y soniodd Angkasa amdano. Ond sut gallai hi holi am y potsiar heb egluro pam oedd hi'n gofyn?

"Mae'r eli'n dda dros ben," meddai Catur. "Ond os ydych chi'n fodlon talu ychydig mwy, mae gen i rywbeth … arbennig … yn fy stordy." Amneidiodd i gyfeiriad y llen. "Rhywbeth fydd yn gwella'r clwyfau'n syth. Dwi ddim yn sôn amdano wrth bawb, ond dwi'n eich hoffi chi'ch dau."

Ar unwaith moelodd Sara'i chlustiau. Roedd llais Catur mor slei. A beth oedd ystyr "arbennig"? Cipedrychodd yn gyflym ar Ben. Yn amlwg roedd e hefyd yn rhannu'r un amheuon. Ai Catur oedd y "dyn drwg" y soniodd Angkasa amdano? Oedd e'n prynu a gwerthu darnau o gyrff anifeiliaid ac yn gwneud eli o esgyrn teigr?

"Dydyn ni ddim wedi dod â digon o arian," meddai Sara. "Fe gymerwn ni yr eli am y tro."

"Wrth gwrs," meddai Catur yn llyfn. "Ond cofiwch ddod yn ôl, os byddwch chi eisiau rhywbeth … arall."

Yn syth ar ôl gadael y siop, tynnodd Ben ei chwaer i'r bwlch rhwng dau dŷ pren.

"Bydd rhaid i ni fynd yn ôl," sibrydodd. "A llawer cynt nag y mae e'n ddisgwyl."

"Mae gen ti'r olwg 'na yn dy lygaid eto," meddai Sara. "Beth yw'r cynllun?"

"Mae'n bosib iawn bod cysylltiad rhwng Catur a'r potsiars," atebodd Ben. "Ond y tro hwn rhaid i ni fod yn hollol siŵr mai fe yw'r dihiryn."

"Ond sut gallwn ni fod yn siŵr?" holodd Sara'n swta. "Allwn ni ddim gofyn iddo fe."

"Dwi eisiau gweld be sy yn y stordy," meddai Ben. "Tybed a oes 'na ddrws arall?"

Sleifiodd y ddau heibio tomenni compost a chytiau ieir nes cyrraedd cefn siop Catur.

"Mae 'na ddrws," meddai Ben. "Nawr dyma dy waith di. Cadw Catur yn brysur tra bydda i'n chwilio."

"Iawn," meddai Sara. "Ond cymer ofal. Cofia be ddwedodd Wncwl Steffan. Mae'r potsiars

yn beryglus." Gwenodd yn ddireidus. "Anghofies i brynu modrwy i Mam-gu!" meddai. "Wela i di mewn munud." Ac i ffwrdd â hi.

Arhosodd Ben nes clywed llais Sara. "Alla i ddim penderfynu," meddai'i chwaer yn uchel. "Ga i eu gweld nhw yng ngolau'r haul allan yn y ffrynt?"

Yn ofalus iawn agorodd Ben ddrws cefn y siop a chripian i mewn. Roedd y stordy'n boeth a thywyll, a dim ond un ffenest fach frwnt yn ei goleuo. Roedd 'na lwyth o bacedi a thuniau ar y silffoedd. Craffodd Ben arnyn nhw. Nwyddau cyffredin oedd pob un. Symudodd rai o'r tuniau ffa pob, rhag ofn bod rhywbeth yn cuddio y tu ôl, ond doedd 'na ddim byd ond pryfed marw.

"Mae'r un werdd yn bert …" Gallai glywed Sara'n parablu.

Sylwodd ar gist ddroriau anniben yn y gornel. Agorodd y drôr top, a dal ei wynt wrth

i'r pren wichian. Roedd y drôr yn llawn o boteli a bocsys. Cododd Ben un botel, oedd yn llawn o bethau tebyg i weiars. Agorodd focs a bron â llewygu mewn sioc. Roedd hwnnw'n llawn o lygaid wedi'u sychu!

Iych, meddyliodd. *Ac nid weiars oedd rheina. Wisgers oedden nhw.*

Agorodd yr ail ddrôr. Ynddo roedd rholyn bach wedi'i lapio mewn papur brown. Edrychai'n debyg i fat. Cododd gornel y mat a syllu ar groen gloyw hardd â streipiau o ddu ac oren.

Yna fe glywodd lais yn mwmian yn y siop.

"Dwi am air â ti, Catur! Dere gyda fi."

Atseiniodd y geiriau electronig yn ei glust. Nid Sara oedd yn siarad. Dyn oedd yno, a chlywodd sŵn ei draed yn croesi llawr pren y siop – ac yn anelu am y stordy. Doedd dim amser i ddianc. Newydd blymio i'r agen fach rhwng y cwpwrdd a'r wal oedd Ben, pan daflwyd y llen ar agor. Sylweddolodd ei fod

wedi anghofio cau'r drôr. Rhy hwyr!

Clywodd lais swta Catur. "Ddylet ti ddim dod yma rhag ofn i rywun dy weld di."

"Fyddwn i ddim wedi dod, petaet ti wedi dweud wrtha i be sy'n digwydd," meddai'r dyn arall. "Wnest ti ddim dweud gair, felly fe feddylion ni dy fod ti'n cynllunio i wneud y gwaith dy hun a chadw'r holl arian." Chwarddodd yn oeraidd. "Wedyn byddai raid i ni ... ddelio â ti yn ogystal â'r teigr."

Gwrandawodd Ben yn astud.

"Rwyt ti'n wallgo." Chwarddodd Catur 'run

mor oeraidd. "Sut gallwn i dy dwyllo di, ffrind? Y'n ni yn hyn gyda'n gilydd ... fel brodyr. Dere i'r lle arferol wedi iddi nosi, ac fe eglura i'r cynllun. Nawr cer o'ma."

A byddwn ni yno'n gwrando hefyd, meddyliodd Ben.

Clywodd y dieithryn yn bustachu drwy'r drws cefn. Yna sylweddolodd mewn braw fod Catur yn nesáu at ei guddfan. Triodd gilio'n ôl, ond doedd unman i fynd. Byddai Catur yn ei ddal. *Clec*! Caeodd Catur y drôr a chamu'n ôl i'r siop. Diolch byth! Teimlai Ben yn wan.

Llithrodd allan o'i guddfan, sbecian rownd y drws i wneud yn siŵr bod neb o gwmpas, a sleifio allan.

Cerddodd yn dalog at ddrws ffrynt y siop. "Brysia, Sara," galwodd, gan esgus colli amynedd.

Sbonciodd Sara allan ato. "Ydy Catur yn botsiar?" sibrydodd.

Nodiodd Ben. "A heno byddwn ni'n ei ddilyn a darganfod ei gynlluniau."

"Fel plismyn cudd." Chwarddodd Sara. "Mae'r goeden mango draw fan'na'n gysgodol iawn. Gallwn ni aros fan'na drwy'r pnawn."

"Mango," meddai Ben. "Mmm. Iymi. Mango amdani."

Roedd yr haul yn isel dros y coed pan glôdd Catur ei siop. Brysiodd ar hyd y llwybr tua'r goedwig. Anelodd Sara'r traciwr, ond dododd Ben ei law ar ei fraich. "Rhy beryglus,"

meddai. "Allwn ni ddim fforddio tynnu sylw. Mae hwn yn un craff."

Sleifiodd y ddau ar ei ôl dan gysgod y coed a dilyn golau crynedig ei dortsh. Roedd hi'n dywyll erbyn iddo gyrraedd caban garw oedd bron o'r golwg dan drwch o blanhigion hir. Swatiodd Ben a Sara y tu ôl i biserlys mawr. Roedd dail siâp cwpan gan y piserlys a'r rheiny'n llawn dŵr. Fe wisgon nhw'u gogls nos a'u clustffonau er mwyn clywed y sgwrs yn Gymraeg. Roedd dau ddyn yn disgwyl am Catur ar y feranda.

"Y dyn tal â'r trwyn mawr oedd yr un yn y siop," sibrydodd Sara. "Mae e'n edrych yn un cas."

"A dyw'r pwtyn byr ddim tamaid gwell," atebodd Ben. "Rhaid i ni fod yn ofalus tu hwnt."

Ar ôl i'r dynion fynd i mewn i'r caban, ymlusgodd Ben a Sara'n nes a chuddio dan y ffenest.

"Dwi wedi bod i'r ffau," meddai llais Catur. "Roedd hi'n wag. Felly mae'r cenawon allan. Dyma'r foment y buon ni'n disgwyl amdani. Rhaid i ni weithredu ar unwaith, cyn i'r lloches fusneslyd glywed am hyn."

"Heno amdani 'te." Trwyn Mawr oedd yn siarad. "Feiddiwn ni ddim siomi'r cwsmer."

"Dim problem." Swniai Catur yn hollol bendant. "Fe osodwn ni'r trap yn Llyn Llonydd. Fan'ny mae'r teigr yn yfed. Dwi wedi paratoi twll ar ei gyfer. Wedyn fe ddown ni'n ôl fan hyn, eistedd yn gysurus ac aros. Mae clo electronig ar y trap. Pan fydd e'n cau, bydd larwm yn canu ar fy rheolwr. A wnaiff 'run anifail arall fentro bwyta'r afr sy gen i fel abwyd. Fe gasgles i ddom y teigr o'r ffau wag, a'i daenu dros groen y gwryw laddon ni fis diwetha. Fe grogwn ni'r croen ger y trap. Dylai hynny gadw pob anifail arall draw. Wnân nhw ddim mentro mynd yn agos at deigr."

"Pam na wnawn ni guddio ger y trap?" Y pwtyn oedd yn siarad. "Rhag ofn i ni golli'r teigr."

"Paid â bod yn ddwl," wfftiodd Catur. "Bydd hi wedi'n harogli cyn i ni sylweddoli ei bod hi'n agos. Na, dyma'r ffordd orau, ffrindiau. Dal y teigrod yn gynta, wedyn eu saethu. Mae'n hawdd saethu teigr mewn cawell. Ond anelwch yn ofalus. Dydyn ni ddim am niweidio'r crwyn!"

Edrychodd Ben a Sara ar ei gilydd mewn arswyd.

PENNOD NAW

"Maen nhw'n mynd i ladd y teigrod heno," sibrydodd Sara. "Fydd y lloches ddim yn cyrraedd mewn pryd."

"Clyfar iawn, Catur! Dychryn pawb drwy ddweud storïau am Llyn Llonydd," meddai llais Trwyn Mawr. "Sut feddyliest ti am hynny?"

"Doedd dim rhaid i fi feddwl," atebodd Catur. "Mae 'na hen chwedlau am Llyn Llonydd." Chwarddodd. "Dim ond ychwanegu tipyn bach o ddrama wnes i. Cred ti fi, byddai'n well gan y pentrefwyr fwyta'u traed eu hunain na mynd at y llyn wedi iddi nosi."

"Dwyt ti erioed wedi gweld dim byd yno, wyt ti?" Swniai Pwtyn braidd yn grynedig.

"Naddo. Erioed!" wfftiodd Catur. "Pam? Wyt ti'n troi'n gachgi?"

"Dim o gwbl."

Rymblodd bol Ben yn uchel.

"Bydd dawel!" rhybuddiodd Sara.

"Alla i ddim," sibrydodd Ben yn chwyrn. "Dwi'n llwgu. Fe gollon ni sawl pryd o fwyd heddiw."

Dechreuodd wingo.

"Be ti'n wneud?" mwmiodd Sara.

"Mae gen i afal." Gwthiodd Ben ei law i'w boced. "Bydd e'n ddigon … Wps."

Rholiodd yr afal o'i boced, sboncio'n swnllyd dros y feranda pren a diflannu i'r borfa hir.

Rhewodd Ben a Sara.

"Beth oedd y sŵn 'na?" meddai llais cras o'r caban.

"Oes rhywun tu allan?"

"Os oes 'na, byddan nhw'n difaru!"

Crafodd cadeiriau dros y llawr a brasgamodd traed trwm at y drws.

"Rhed!" sisialodd Sara.

Fe neidion nhw o'r feranda a rhedeg i mewn i'r llwyni. Roedd y tri dyn wedi rhuthro o'r caban, yn fflachio tortshys ac yn cario gynnau. Ceisiodd Ben a Sara ymwthio o dan y rhedyn, ond roedd hi'n amhosib symud heb wneud sŵn.

"Draw fan'na. Glywsoch chi rywbeth?" Catur oedd yn siarad. Symudodd olau'i dortsh dros y dail yn union uwch eu pennau. Teimlodd Ben rywbeth ar ei esgid. Edrychodd i lawr a bron â sgrechian mewn braw – roedd neidr gwrel yn llithro'n dawel dros y carrai. Caeodd ei lygaid a dal ei wynt. *Canolbwyntia ar rywbeth arall*, meddyliodd yn chwyslyd. *Paid mentro symud!* Roedd gwenwyn y neidr yn farwol. Roedd rhaid iddo agor ei lygaid ac edrych.

Gwelodd gynffon y neidr yn diflannu dan y llwyni. Ochneidiodd Ben mewn rhyddhad.

"Draw fan'na!" gwaeddodd Catur. "Fe glywes i rywbeth."

Anelodd Catur olau'i dortsh yn syth at y llwyni o'u blaen.

"Gen i syniad!" sisialodd Sara'n frysiog, a thapio'n brysur ar ei BYG. "Chwilia am gri a hologram y mwnci tarsier." Atseiniodd sgrech

drwy'r awyr.

Edrychodd Ben i fyny a gweld llun holograffig o'r mwnci ar gangen uchel. Tapiodd ei BYG yn ffwndrus. "Alla i ddim!"

Cipiodd Sara'r BYG o'i law. Gwibiodd ei bysedd dros y pad. Gwthiodd y BYG yn ôl i ddwylo'i brawd. Atseiniodd sgrech fain, a daeth "mwnci" arall i'r golwg.

"Beth yw'r sŵn 'na?" Roedd Trwyn Mawr yn edrych o'i gwmpas i bob cyfeiriad.

"Mwncïod tarsier," meddai Catur, a chyfeirio'i dortsh at y coed. "Maen nhw ym mhobman. Edrych."

Trodd Trwyn Mawr yn sydyn, codi'i wn a saethu at y "mwnci" yn y goeden.

"Paid gwastraffu bwledi," meddai Catur. "Cadw nhw ar gyfer y teigr."

Gwasgodd Sara'i dannedd yn dynn. Roedd y dynion yn ffiaidd.

"Dewch." Roedd Catur wedi troi'i gefn. "Dewch i osod y trap."

Yn ôl â'r potsiars i'r caban. Cariodd y tri gawell mawr allan, a dechrau ar eu taith. Cyn hir yr unig sŵn oedd hymian cyfarwydd y pryfed a chri anifeiliaid yn y pellter.

"Roedd hwnna'n dric gwych, Sara," meddai Ben. "Nawr bant â ni. Rhaid i ni gau'r trap cyn i Tora a'i chenawon gyrraedd."

"Fydd hynny ddim help," meddai Sara. "Bydd larwm Catur yn canu a bydd y dynion yn rhedeg at y trap ac yn ei ail-osod." Chwiliodd am leoliad y teigr ar ei BYG. "Mae hi'n bell i ffwrdd ar hyn o bryd, ac yn llonydd. Mae hi rywle i'r de o Llyn Llonydd, ac rwyt ti a fi fan hyn tua'r gorllewin. Edrych."

Nodiodd Ben. "Rhaid i ni redeg tuag at Tora a'i dychryn i ffwrdd cyn iddi fynd at y trap."

Doedden nhw ddim wedi mynd yn bell, pan gipedrychodd Sara mewn braw ar sgrin ei BYG.

"Mae Tora'n symud. Fe fydd wedi cyrraedd y trap cyn i ni allu'i stopio."

"Felly does gyda ni ddim dewis," meddai Ben. "Rhaid i ni fynd yn syth at y trap, dim ots be wnaiff Catur a'i griw." Stopiodd yn stond. "Wnawn ni ddim cau'r trap – ond rhoi rhwystr! Fe ddylen ni gyrraedd y trap o flaen Tora, achos ni sy agosa."

"Syniad bril!" meddai Sara.

"Fel fi." Chwarddodd Ben.

Plymion nhw drwy'r coed tuag at y pwll dŵr, a'r brigau'n clecian yn swnllyd dan draed.

"Gobeithio na fydd y dynion yn clywed," meddai Sara â'i gwynt yn ei dwrn.

"Rhaid i ni fentro. Does dim dewis," meddai Ben. "Edrych – dyma ni. A dwi'n meddwl bod y dynion wedi mynd."

Rhedodd y ddau

i'r llannerch. Daeth sŵn cyfarth main, sydyn o'r tu draw i'r pwll. Neidiodd y plant i'r llwyni ar ras a gwasgodd Ben y botwm 'sŵm' ar ei gogls.

"Mae'n iawn," sibrydodd. "Teulu o *dholes* sy 'na. Cŵn gwyllt cochion." Gwyliodd y cŵn main, tebyg i lwynogod, yn llepian dŵr o ymyl y pwll. "Lle mae'r trap?" mwmiodd. Rhedodd ar hyd y lan, a gwasgar y *dholes*, nes gweld olion pygs bach a mawr yn y pridd meddal. "Dyw e ddim yn bell. Bydd y dynion wedi gofalu'i leoli ger llwybr y teigrod."

Gan wthio'r llwyni a'r rhedyn o'u ffordd, aethant ar frys i chwilio am y trap.

Daeth Ben at ddryswch o frigau hir. Wrth drio'u symud, trawodd ei droed yn erbyn rhywbeth caled, metelaidd.

"Fan hyn," galwodd.

Penliniodd a symud rhai o'r dail yn ofalus. Oddi tanyn nhw, wedi'i osod yn y pridd,

roedd cawell o fetel gloyw. Roedd y clawr barrog ar agor, yn barod i ddisgyn. Gallai glywed gafr yn brefu'n drist y tu mewn.

Cyrhaeddodd Sara. Sylwodd ar rywbeth ar unwaith. "Edrych, Ben!" meddai. Pwyntiodd at groen teigr enfawr yn hongian dros gangen gyfagos. "Dyna sut oedd Catur yn mynd i gadw'r anifeiliaid eraill draw. Ddôn nhw ddim yn agos at hwnna – yn enwedig os yw arogl Tora arno. Dihiryn yw Catur."

Edrychodd ar y golau oren ar ei BYG. "O na!" meddai'n daer. "Mae hi'n agos. Rhaid i ni flocio'r trap nawr."

Edrychon nhw o gwmpas.

"Oes 'na hen ganghennau y gallwn ni eu gosod dros yr agoriad?" meddai Sara, gan

edrych o gwmpas mewn panig.

"Dim amser."

"Felly bydd raid i ni gau'r trap wedi'r cyfan a gyrru Tora i ffwrdd," llefodd Sara.

Ond ar y gair, o gil ei llygad fe welodd rywbeth yn symud. Trodd yn sydyn. Roedd Tora'n eistedd yr ochr draw i'r dŵr a'i chenawon wrth ei thraed.

PENNOD DEG

"Mae Tora yma!" sisialodd Sara, a gwthio Ben i'r llwyni yn ymyl y trap. "Dyw hi ddim wedi'n gweld ni eto."

Cododd y teigr ei phen a sniffian yr awyr a'i chynffon yn ysgwyd.

"Mae wedi arogli'r afr," sibrydodd Ben.

"A ni hefyd falle, gwaetha'r modd." Cydiodd Sara yn ei BYG. "Gwasga'r teclyn chwalu arogl."

Yn sydyn fe sbonciodd y cenawon o gwmpas glan y pwll. Gan ruo'n isel, tasgodd Tora drwy'r dŵr atynt. Roedd y teigrod yn anelu am y trap.

"Rhaid i ni wneud rhywbeth." Roedd Sara bron yn ei dagrau.

"Dim ond un dewis sy gyda ni!" gwaeddodd Ben. Sylwodd Sara ar y fflach yn ei lygaid. Roedd gan Ben gynllun gwallgo! Cyn i Sara allu'i rwystro, roedd wedi neidio i mewn i'r cawell metel.

BANG! Caeodd y trap uwch ei ben.

Pan glywodd hi'r glec, cododd Tora ar ei

thraed ôl a chwyrnu mewn braw. Neidiodd y cenawon yn ofnus. Mewn chwinciad, fe ddiflannon nhw i'r cysgodion.

"Mae'r cynllun wedi gweithio!" gwaeddodd Sara'n falch. "Da iawn, Ben!"

"Nawr gad fi'n rhydd," galwodd Ben, wrth i'r afr wthio'i thrwyn i'w glust. "Bydd y potsiars yma mewn munud."

Tynnodd Sara ddrws y trap. "Alla i ddim ei agor!" meddai mewn braw. "Tria di o'r tu mewn."

Gwthiodd Ben yn erbyn y drws. Dim lwc.

Cododd Sara gangen oddi ar lawr, a'i defnyddio fel lifer. Torrodd y gangen yn syth. Rhedodd at y pwll dŵr a chodi carreg fawr finiog.

"Cuddia dy wyneb," gwaeddodd. "Dwi'n mynd i dorri'r clo."

Trawodd y drws â'i holl nerth. Chwalodd y garreg yn ddarnau. Heblaw crafiad neu ddau, wnaeth hi ddim niwed i'r clo.

"Weithiodd e ddim," llefodd Sara. "Rhaid i fi feddwl am rywbeth arall."

Ond roedd hi'n rhy hwyr. Roedd sŵn lleisiau'n dod o'r coed. Roedd y potsiars ar eu ffordd.

"Rhed, Sara!" gwaeddodd Ben.

"Dwi ddim yn mynd i dy adael di!" meddai'i chwaer yn chwyrn.

"Ond fe gei di dy ddal hefyd!"

"Bydd dawel am funud," sisialodd Sara. "Dwi'n trio meddwl."

"Dim amser!" meddai Ben yn wyllt.

"Gen i syniad!" mwmiodd Sara. "A gwell iddo fe weithio."

Roedd hi'n gweld golau tortshys yn fflachio drwy'r coed. Wrth i'r potsiars gamu i'r llannerch, fe sleifiodd o'r golwg.

"Edrychwch o gwmpas," gorchmynnodd Catur. "Falle bod rhai o'r teigrod wedi dianc."

"Na, wela i ddim," meddai llais arall. "Mae'n ffrindiau bach del yn y trap." Cleciodd cliced

gwn. "Nawr am gael gwared ohonyn nhw."

"Lwcus eu bod nhw'n dawel," meddai Pwtyn yn greulon. "Haws i'w lladd."

Gwasgodd Sara fotwm ar ei BYG. Atseiniodd cri annaearol drwy'r llannerch. Rhoddodd gipolwg rhwng y dail, a gweld y dynion yn sefyll yn stond. Roedd baril gwn yn pwyntio'n syth at ei chuddfan.

"Beth oedd hwnna?" gwichiodd Trwyn Mawr. Roedd e'n edrych yn ofnus.

Yn ei ymyl roedd gwn Pwtyn yn crynu, er ei fod yn trio cydio ynddo'n dynn.

"Dewch 'mlaen," cyfarthodd Catur. "Rhyw anifail diniwed sy'n cadw sŵn. Peidiwch gwastraffu amser."

Yn nerfus iawn fe gerddodd y dynion at y trap. Mewn panig, fe gliciodd Sara'i BYG â chynyddu'r sŵn. Ond wnaeth hynny ddim gwahaniaeth. Roedd Trwyn Mawr yn ei gwrcwd, a'i wn ar ei ysgwydd. Mewn eiliadau byddai'n gweld Ben.

Yn sydyn daeth sŵn curo dwfn, rhythmig o'r trap. Baglodd Trwyn Mawr tuag yn ôl a gollwng ei wn. "Nid teigr yw hwnna!" crawciodd. "Mae'r pentrefwyr yn iawn. Mae ysbrydion drwg yn y lle 'ma."

"Paid â bod yn ddwl," meddai Catur. "Ti sy'n codi bwganod."

Atseiniodd ochenaid erchyll o'r trap metel. Anelodd Trwyn Mawr ei dortsh ato a'i ddwylo'n crynu. "Edrychwch ar y llygaid mawr sgleiniog!" llefodd.

"*Orang pendek. Orang pendek*," udodd llais dychrynllyd.

"Alla i ddim aros!" gwaeddodd Pwtyn. "Dwi'n mynd."

"A fi," llefodd Trwyn Mawr.

Yn fuan, dim ond Catur oedd ar ôl.

"Ife tric yw hwn?" mwmiodd drwy'i ddannedd, a stelcian at y cawell. "Does dim o'r fath beth ag *orang pendek*." Daliodd Sara'i gwynt a'i wylio'n anelu golau'r tortsh drwy'r barrau. "Beth yn y …?" Neidiodd Catur yn ôl mewn sioc. Yna chwarddodd yn gas. "Llygaid mawr sgleiniog!" wfftiodd. "Plentyn mewn gogls yw hwnna! Aros funud! Dwi'n dy nabod di." Roedd e'n siarad Saesneg nawr, â min creulon i'w lais. "Rwyt ti mewn helynt go iawn, 'machgen i." Agorodd glo'r trap a neidiodd y drws ar agor.

Cydiodd Sara mewn darn mawr o bren. Châi Catur ddim anafu'i brawd.

Ond rhewodd mewn braw. Roedd rhu ffyrnig wedi ffrwydro drwy'r jyngl. Gwelodd Catur yn troi'n sydyn i wynebu – Tora! Roedd y teigr wedi dod yn ôl. Roedd hi'n sefyll ar y lan, ei gwrychyn wedi codi a'i dannedd yn fflachio. Ebychodd Catur. Wrth i Tora baratoi i neidio, anelodd ei wn.

"NA!" sgrechiodd Sara.

Chwibanodd bwled drwy'r awyr. Disgynnodd Tora i'r llawr. Ceisiodd godi, a disgyn yn drwm ar ei hochr. Ysgydwodd ei chynffon yn wanllyd, suddodd ei phen yn araf i'r mwd, a gorweddodd yn llonydd.

PENNOD UN AR DDEG

Yn sydyn roedd y llannerch yn llawn o leisiau'n gweiddi a goleuadau'n cylchu. Ar unwaith diflannodd Catur i'r goedwig.

Estynnodd Sara'i llaw i Ben, a'r dagrau'n llifo i lawr ei hwyneb.

"Be sy'n digwydd?" ebychodd Ben. Dringodd o'r trap, a'r golau cryf yn ei ddallu. Tynnodd ei gogls ar ras.

Taflodd Sara'i breichiau amdano. "Dwi mor falch dy fod ti'n ddiogel!" llefodd. Yna disgynnodd ar ei gliniau a mwytho corff llonydd Tora. "Ond allen ni ddim achub yr

anifail hardd hwn."

Rhedodd menyw atyn nhw. Roedd ganddi acen Awstralaidd, ac roedd hi'n gwisgo iwnifform werdd â logo eliffant. "Beth yn y byd ydych chi blant yn wneud fan hyn?"

Edrychodd Sara ar y fenyw heb ddweud gair. Gwasgodd Ben law'i chwaer.

"Fe gwrddon ni â siopwr yn Aman Tempat oedd yn gwerthu darnau o anifeiliaid wedi'u lladd yn anghyfreithlon," eglurodd. "Fe ddwedodd e mai'i enw oedd Catur. Fe glywson

ni e'n siarad am ladd teigr, felly fe ddilynon ni e. Bydden ni wedi rhybuddio'n modryb ddaeth â ni i Swmatra, ond doedd dim amser, a doedden ni ddim yn gwybod pwy arall i'w drystio. Fe lwyddon ni i gadw'r teigr rhag disgyn i'r trap …"

"… ond roedden ni'n rhy hwyr i'w hachub," sniffiodd Sara.

"Rhy hwyr?" meddai'r fenyw. "Does bosib! Dylech chi'ch dau fod yn falch iawn o'ch hunain. Roedd peryglu'ch bywyd yn beth twp i'w wneud, ond fe lwyddoch chi i achub y teigr."

Edrychodd Sara arni'n syn. "Ond fe saethodd y dyn hi. Mae hi wedi marw."

"Dyw hi ddim wedi marw!" Gwenodd y fenyw. "Wnaeth y potsiar dwl ddim tanio'i wn hyd yn oed. Teimla frest y teigr. Mae hi'n anadlu."

"Ond sut?" Roedd Ben yn methu deall. "Fe glywson ni'r gwn, ac fe gwympodd Tora."

"Fi daniodd," meddai'r fenyw. "Fe saethes i

ddart i dawelu'r teigr." Estynnodd ei llaw. "Barbara yw'r enw. Dwi'n gweithio i Loches Kinaree. Fe gawson ni neges ddi-enw yn dweud bod teigres a'i chenawon mewn perygl. Ac nid nhw oedd yr unig rai! Doedden ni ddim yn disgwyl gweld dau blentyn yng nghanol yr helynt."

Mwythodd Sara a Ben flew godidog Tora. Gan eu bod wedi tawelu, roedden nhw'n gallu clywed ei hanadl ysgafn.

"Edrychwch ar ei hwyneb urddasol," meddai Sara. "Mae patrwm y lliwiau mor brydferth, y gwyn rownd ei thrwyn a thros ei llygaid."

"Dwi ddim yn deall," meddai Barbara, gan ysgwyd ei phen. "Doedden ni ddim wedi clywed am y teigr a'i chenawon nes i ni gael yr alwad ffôn. Roedd hi wedi cuddio'i hun yn dda."

"Lle mae'r cenawon?" gofynnodd Ben yn sydyn.

"Barbara!" galwodd rhywun. Er syndod i Ben a Sara daeth y gamblwr, Wicaksono, i'r golwg

ag un o'r cenawon yn ei freichiau. Yn ei ddilyn roedd dyn yn cario'r cenau arall, a thrydydd dyn yn arwain yr afr ar raff.

"Rydyn ni'n lwcus iawn bod Wicaksono yma," meddai Barbara. "Does neb tebyg iddo am ddilyn trywydd anifeiliaid."

Edrychodd Ben a Sara ar ei gilydd yn euog.

"Dewch gweld," meddai Wicaksono yn ei Saesneg bratiog, ac amneidio ar y ddau.

Doedd dim rhaid gofyn ddwywaith i Ben a Sara. Mewiodd y cenawon a llyfu'u dwylo wrth i'r ddau fwytho'u boliau gwyn del. Estynnodd Wicaksono un i Sara.

"Ti dal," meddai.

Sychodd Sara'i llygaid ar ei llawes, a magu'r cenau fel babi. Roedd e'n syndod o drwm. "Byddi di'n iawn," sibrydodd, a syllu i lygaid mawr dwys y cenau.

Daeth pedwar dyn i'r golwg, yn llusgo cawell pren ar gert. Codon nhw'r teigr swrth yn ofalus a'i rhoi yn y cawell.

"Yn ôl â ni i'r pentref," meddai Barbara. "Fe ddown ni'n ôl i gasglu'r hen drap afiach yn nes ymlaen."

"Beth am hwn?" Cododd un o'r dynion y croen teigr a chrychu'i drwyn.

"Dere ag e. Bydd ei angen fel tystiolaeth."

Dilynodd pawb y cert. Cerddai Wicaksono yn ymyl Barbara, a chlywodd y plant e'n holi sut oedd Tora. Dechreuodd pelydrau haul y bore dreiddio drwy'r coed.

"Sut yn y byd wnaethon ni'i gamgymryd e am botsiar?" sibrydodd Sara wrth Ben, a'r cenau bach yn rhwbio'i drwyn yn erbyn ei gên. "Mae e'n caru anifeiliaid."

"Ni oedd yn rhy barod i amau," cytunodd Ben. "Mae pobl yn gallu bod yn wahanol iawn dan yr wyneb. Roedd Catur mor gyfeillgar pan gwrddon ni ag e gynta."

"Ddylen ni ddweud wrth Wicaksono bod dart yn ei fraich?" meddai Sara.

"Allwn ni ddim, heb sôn am Gwyllt," meddai Ben. "Mae pawb yn meddwl mai twristiaid wyt ti a fi, ac mai ar ddamwain y clywson ni am y cynllun creulon. Fydd y dart ddim yn gwneud drwg iddo."

Wedi cyrraedd y pentref, defnyddiwyd winsh i godi'r cawell pren i gefn tryc y lloches. Dodwyd y cenawon mewn bocs llai. Mwythodd Sara a Ben flew hyfryd Tora drwy'r barrau.

"Hwyl fawr," meddai Sara. "Rwyt ti'n mynd i gartref newydd lle byddi di a'r rhai bach yn ddiogel."

Daeth Barbara draw. "Bydd eisiau enw ar y teigr. Unrhyw syniad?"

Crafodd Ben a Sara'u pennau. "Beth am Tora?" awgrymodd Ben yn ddiniwed.

"Iawn. A beth am y cenawon? Bachgen a merch y'n nhw."

Agorodd Sara'i cheg.

"Paid ti meiddio'u galw nhw'n Fflyffi ac Wyffi!" rhybuddiodd Ben â gwên.

"Beth yw'ch enwau chi?" gofynnodd Barbara. "Dwi am eu henwi ar eich ôl chi."

"Ben a Sara," meddai'r ddau ag un llais.

"Perffaith!" meddai Barbara.

"Beth fydd yn digwydd nesa?" gofynnodd Ben.

"Bydd ein milfeddyg yn eu harchwilio, ac yn rhoi microsglodyn adnabod iddyn nhw, fel sy'n digwydd i gathod a chŵn," meddai Barbara. "Wedyn fe gân nhw'u gollwng yn rhydd yn y warchodfa. Gyda lwc bydd y fam yn fodlon setlo fan'ny ac yn cael bywyd hir a hapus. Mae teigr gwryw yno'n barod, felly mae'n bosib y caiff hi ragor o genawon. Mae hynny'n bwysig os ydyn ni am achub teigrod Swmatra."

Aeth Barbara i dalu'r pentrefwyr, ac yna fe ddringodd i gaban y tryc. Gwthiodd ei phen drwy'r ffenest, a chwifio llyfr nodiadau at Ben a Sara.

"Rhowch eich cyfeiriad e-bost ar hwn," galwodd. "Fe anfona i'r newyddion diweddara atoch chi."

"A beth am y potsiars?" gofynnodd Sara, a sgrifennu'r cyfeiriad. "Mae Catur a'r ddau ddyn arall yn dal yn rhydd."

"Draw fan'na mae siop Catur," ychwanegodd Ben.

Gwenodd Barbara. "Fe ro i wybod i'r heddlu. Gawn ni weld sut bydd y dihirod yn mwynhau cael eu hela!"

I ffwrdd â'r tryc, gan ruo'n gras. Gwyliodd Ben a Sara e'n hercian o'r golwg dan haul y bore. Roedd Tora a'i chenawon ar eu ffordd i gartref diogel.

"Gobeithio na ffeindian nhw'n dart ni, pan fyddan nhw'n archwilio Tora," meddai Ben, wrth i'r ddau gerdded yn araf drwy'r farchnad.

"Fydd gyda nhw ddim syniad pwy saethodd y dart." Gwenodd Sara'n llon. "Wyt ti'n gwybod be sy'n grêt?"

"Pysgod a sglods," meddai Ben.

"Na," meddai Sara a'i brocio'n chwareus."Y ffaith fod y fenyw gyfoethog wedi colli'i chyfle i gael teulu o deigrod wedi'u stwffio. Tybed a yw Erica wedi darganfod pwy yw hi?"

"Gobeithio bod yr heddlu wedi'i dal," chwyrnodd Ben drwy'i ddannedd.

Nodiodd Sara. "Byddai hynny'n wych. Wrth gwrs allwn ni ddim rhoi'r wybodaeth ar ein gwefan."

"Byddwn i wrth fy modd yn blogio," cytunodd Ben. "Trueni bod yr holl beth yn gyfrinachol."

Agorodd Sara'i cheg yn gysglyd. "Dwi am fynd i'r gwely."

"A dw i eisiau bwyd!" ychwanegodd Ben. "Dwi o ddifri eisiau pysgod a sglods." Tynnodd ei BYG allan. "Dwi wedi dod i ddeall hwn nawr. Rhaid i ni roi gwybod i Wncwl Steffan am Tora." Gwasgodd rif brys pencadlys Gwyllt.

"Helô, Ben." Clywodd lais Wncwl Steffan yn

glir ac yn groch. "Ydy popeth yn iawn?" gofynnodd. "Ydy'ch ffrind wedi mynd i'w chartref newydd?"

"Ydy," oedd unig ateb Ben. Roedd e bron hollti'i fol eisiau sôn am yr antur wrth ei dad bedydd, ond allai e ddim mentro rhag ofn i rywun glywed. "Alla i ddim siarad nawr."

"Dwi'n deall." Roedd Wncwl Steffan yn swnio'n hapus dros ben. "Gwych! O'n i'n gwybod y gallwn i ddibynnu arnoch chi'ch dau. Mae Erica wedi cael llwyddiant hefyd. Dwi'n siŵr y cewch chi'r hanes ganddi fory, pan ddaw hi i'ch nôl. Fe gewch chi roi adroddiad i fi yn y pencadlys. Wela i chi." Cliciodd y ffôn.

"Gobeithio bydd Wncwl Steffan yn cynnig antur arall i ni, pan welwn ni e," meddai Ben ar y ffordd yn ôl i'r caban. "Tybed pa fath o antur fydd hi?"

"Dwi'n gwybod un peth," meddai Sara. "Fe fydd hi'n antur Wyllt!"

DYFODOL Y TEIGR

Mae 95% o deigrod y byd wedi diflannu yn ystod y 100 mlynedd diwethaf!

Nifer o deigrod yn y gwyllt heddiw	tua 4,000
Nifer o deigrod yn y gwyllt 100 mlynedd yn ôl	tua 80,000
Nifer o isrywogaethau 100 mlynedd yn ôl	9
Nifer o isrywogaethau heddiw	6

Teigrod Swmatra, Amur, Bengal, Indo-Tsieina, Malaya,
De Tsieina (mae'n bosib nad oes un o'r isrywogaeth hon ar ôl yn y gwyllt)

Teigr
Swmatra
yw'r isrywogaeth
leiaf

Hyd
(o'r pen i'r gynffon):
Gwryw – 2.4m
Benyw – 2.2m

Pwysau:
Gwryw – 120kg
Benyw – 90kg

STATWS: MEWN PERYGL ENBYD

Credir bod tua 350 o deigrod Swmatra'n dal yn y gwyllt. Mae'r mwyafrif yn byw yn y pum parc cenedlaethol.

ANIFAIL

FFEITHIAU AM DEIGROD SUMATRA

BYGYTHION

POTSIAN

Mae lladd teigrod – a gwerthu darnau o'u cyrff – yn groes i'r gyfraith ledled y byd. Ond dyw hynny ddim yn rhwystro'r potsiars, er eu bod yn wynebu i fyny at bum mlynedd o garchar a dirwy drom, os cân nhw'u dal.

Mae rhai'n credu bod gan ddarnau o gorff teigr bwerau hud. Asgwrn y bawen dde flaen yw'r darn mwyaf pwerus, medden nhw. Trochir yr asgwrn mewn gwydraid o ddŵr cynnes. Yna, ymhen ychydig, bydd y claf yn yfed y dŵr i wella cur pen.

TORRI COEDWIGOEDD

Mae rhannau o'r goedwig law'n cael eu torri'n anghyfreithlon er mwyn gwerthu'r pren, ac yn aml caiff tir ei glirio i wneud lle i balmwydd olew. Wrth i gynefin y teigrod ddiflannu, maen nhw'n methu dal digon o brae, ac weithiau maen nhw'n crwydro'n rhy agos at y pentrefi, lle gall pobl eu saethu.

HELA

Mae 'na rai pobl sy'n dal i fwynhau hela teigrod a'u lladd.

Ond mae 'na newydd da hefyd!

Mae'r ***Sumatran Tiger Trust* (Ymddiriedolaeth Teigrod Swmatra)** yn brwydro i amddiffyn teigr Swmatra. Mae *South Lakes Wild Animal Park* yn Cumbria, yn ariannu'r ymddiriedolaeth. Mae eu tîm gwarchod teigrod yn dal teigrod ac yn eu gollwng yn rhydd mewn mannau mwy diogel. Maen nhw'n anfon gwybodaeth am leoliad y teigrod i lywodraeth Indonesia, er mwyn iddyn nhw wahardd torri coed yn yr ardaloedd hynny. Mae'r ymddiriedolaeth hefyd yn ceisio perswadio'r coedwyr i adael 'coridorau' o goed, er mwyn i'r teigrod allu symud o un goedwig i'r llall.

Os oes gennych angen mwy o wybodaeth am deigrod, ewch i:

www.wildanimalpark.co.uk
www.tigertrust.info
www.wwf.org.uk

Bydd rhagor o gyfrolau

ACHUB ANIFAIL

yn ymddangos yn Gymraeg yn y dyfodol agos. Cadwch olwg amdanyn nhw yn eich siop lyfrau leol neu ar wefan y wasg:

www.carreg-gwalch.com